**#홈스쿨링**
**#초등 영어 기초력**

요즘은 혼공시대!
사교육 없이도 영어 기초력을 탄탄하게 쌓아 올리는 법,
똑똑한 하루 VOCA가 정답입니다.
똑똑한 엄마들이 선택하는 똑똑한 교재!
엄마들의 영어 고민을 덜어 줄 어휘 교재로 강추합니다.

영어책 만드는 엄마_ **이지은**

영어는 스스로 재미를 느끼며 공부해야 실력이 늘어요.
똑똑한 하루 VOCA는 자기주도학습을 매일 실천할 수 있도록
설계되어 있어, 따라 하기만 해도 공부 습관을 키울 수 있어요.
재미있는 만화와 이미지 연상을 통해 영어 단어를 오래
기억하며 알차게 공부할 수 있어요.

미쉘 Michelle TV_ **김민주**

# 똑똑한 하루 VOCA
## 시리즈 구성 Level 1~4

**Level 1 A, B**
3학년 과정

**Level 2 A, B**
4학년 과정

**Level 3 A, B**
5학년 과정

**Level 4 A, B**
6학년 과정

---

똑똑한 하루 VOCA만의

## 똑똑한 부가 자료

### 책 속 부록

**어휘 리스트**

**단어 카드**

### 온라인 자료

**QR앱**

**추가 활동지**

▷ 링크 없이 음원이 바로 재생되는 편리한 QR앱을 무료로 다운 받으세요.

▷ 단어 테스트지 외 다양한 추가 활동지를 book.chunjae.co.kr 에서 다운 받으세요.

# 똑똑한 하루 VOCA ♥

# 4주 완성 스케줄표

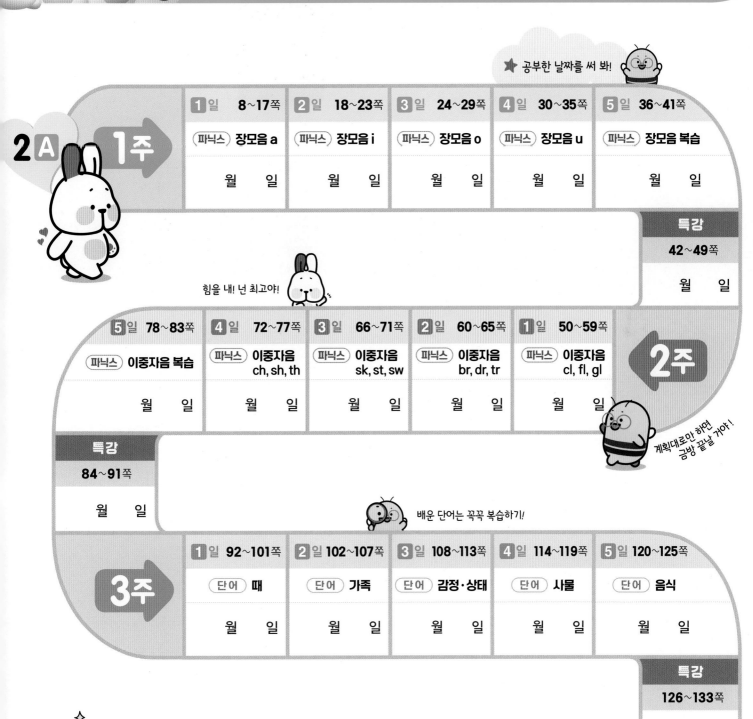

★ 공부한 날짜를 써 봐!

**2A**

**1주**

| 1일 8~17쪽 | 2일 18~23쪽 | 3일 24~29쪽 | 4일 30~35쪽 | 5일 36~41쪽 |
|---|---|---|---|---|
| 파닉스 장모음 a | 파닉스 장모음 i | 파닉스 장모음 o | 파닉스 장모음 u | 파닉스 장모음 복습 |
| 월    일 | 월    일 | 월    일 | 월    일 | 월    일 |

| 특강 |
|---|
| 42~49쪽 |
| 월    일 |

힘을 내! 넌 최고야!

**2주**

| 5일 78~83쪽 | 4일 72~77쪽 | 3일 66~71쪽 | 2일 60~65쪽 | 1일 50~59쪽 |
|---|---|---|---|---|
| 파닉스 이중자음 복습 | 파닉스 이중자음 ch, sh, th | 파닉스 이중자음 sk, st, sw | 파닉스 이중자음 br, dr, tr | 파닉스 이중자음 cl, fl, gl |
| 월    일 | 월    일 | 월    일 | 월    일 | 월    일 |

| 특강 |
|---|
| 84~91쪽 |
| 월    일 |

계획대로만 하면 금방 끝날 거야!

배운 단어는 꼭꼭 복습하기!

**3주**

| 1일 92~101쪽 | 2일 102~107쪽 | 3일 108~113쪽 | 4일 114~119쪽 | 5일 120~125쪽 |
|---|---|---|---|---|
| 단어 때 | 단어 가족 | 단어 감정·상태 | 단어 사물 | 단어 음식 |
| 월    일 | 월    일 | 월    일 | 월    일 | 월    일 |

| 특강 |
|---|
| 126~133쪽 |
| 월    일 |

마지막 4주 공부 중. 감동이야!

**4주**

| 특강 | 5일 162~167쪽 | 4일 156~161쪽 | 3일 150~155쪽 | 2일 144~149쪽 | 1일 134~143쪽 |
|---|---|---|---|---|---|
| 168~175쪽 | 단어 일과 | 단어 숫자 | 단어 숫자 | 단어 위치 | 단어 사물 |
| 월    일 | 월    일 | 월    일 | 월    일 | 월    일 | 월    일 |

똑똑한 하루 VOCA 2A

## 똑똑한 QR앱 사용법

앱을 다운 받으세요.

**방법 1**

### QR 음원 편리하게 듣기

1. 앱 실행하기
2. 교재의 QR 코드 찍기

링크 없이 음원이 자동 재생!

**방법 2**

### 모든 음원 바로 듣기

1. 앱 우측 하단의 ⊕ 버튼 클릭
2. 해당 Level → 주 → 일 클릭!

원하는 음원 찾아 듣기와 찬트 모아 듣기 가능!

편하고 똑똑하게!

---

## Chunjae Makes Chunjae

| | |
|---|---|
| **편집개발** | 김윤미, 하유미, 한새미, 박영미 |
| **디자인총괄** | 김희정 |
| **표지디자인** | 윤순미, 박민정 |
| **내지디자인** | 박희춘, 이혜미 |
| **삽화** | 유선영, 안홍준, 오연주, 김동윤, 베로니카 |
| **제작** | 황성진, 조규영 |

| | |
|---|---|
| **발행일** | 2020년 12월 1일 초판  2020년 12월 1일 1쇄 |
| **발행인** | (주)천재교육 |
| **주소** | 서울시 금천구 가산로9길 54 |
| **신고번호** | 제2001-000018호 |
| **고객센터** | 1577-0902 |
| **교재 내용문의** | (02)3282-8885 |

똑 똑 한

# 하루
## VOCA

Yeah!

**2**<br>4학년 영어

**A**

파닉스 + 단어

# 똑똑한 하루 VOCA ★ LEVEL 2 A ★
# 구성과 활용 방법

## 한 주 미리보기

미리보기 만화

미리보기 활동

## 파닉스 1~2주

재미있는 만화를 읽으며
오늘 배울 소리를 만나 봐요.

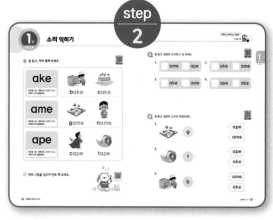

소리를 듣고 따라 말한 후 찬트 해 보세요.

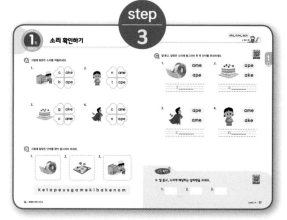

배운 소리를 문제로 확인해요.

QR앱을 다운
받아 보세요!

단어
3~4주

step
1

재미있는 만화를 읽으며
오늘 배울 단어의 의미를 추측해요.

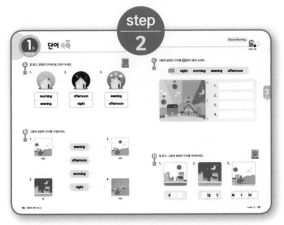

step
2

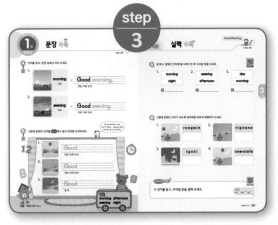

step
3

듣기부터 쓰기까지 다양한 문제를 풀어 보며
단어를 익혀요.

• 의미를 생각하며 문장 속에서 단어를 익혀요.
• 오늘 배운 단어를 복습하며 확인해요.

# Brain Game Zone

한 주 동안 배운 내용을 창의·사고력 게임으로
재미는 두배, 사고력은 UP!

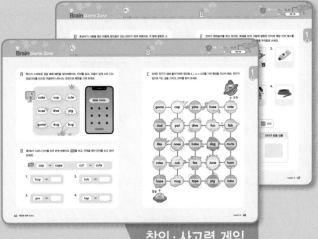

말판 놀이

창의·사고력 게임

똑똑한 하루 VOCA

# 공부할 내용

## 1주 파닉스

| 일 | 단원명 | 소리 | 단어 | 쪽수 |
|---|---|---|---|---|
| 1일 | 장모음 a | ake, ame, ape | bake, cake, game, name, cape, tape | 12 |
| 2일 | 장모음 i | ike, ine, ive | bike, like, line, pine, dive, five | 18 |
| 3일 | 장모음 o | ope, ose, ote | hope, rope, nose, hose, note, vote | 24 |
| 4일 | 장모음 u | ube, une, ute | cube, tube, June, tune, cute, mute | 30 |
| 5일 | | 장모음 복습 | | 36 |
| 특강 | Brain Game Zone & 누구나 100점 TEST | | | 42 |

## 2주 파닉스

| 일 | 단원명 | 소리 | 단어 | 쪽수 |
|---|---|---|---|---|
| 1일 | 이중자음 cl, fl, gl | cl, fl, gl | clip, clock, flag, flower, glass, glove | 54 |
| 2일 | 이중자음 br, dr, tr | br, dr, tr | brave, bread, dress, drum, train, tree | 60 |
| 3일 | 이중자음 sk, st, sw | sk, st, sw | skate, ski, star, stove, sweet, swim | 66 |
| 4일 | 이중자음 ch, sh, th | ch, sh, th | chair, lunch, ship, brush, three, bath | 72 |
| 5일 | | 이중자음 복습 | | 78 |
| 특강 | Brain Game Zone & 누구나 100점 TEST | | | 84 |

| 일 | 단원명 | 주제 | 단어 | 쪽수 |
|---|---|---|---|---|
| 1일 | Good Morning | 때 | morning, afternoon, evening, night, day | 96 |
| 2일 | This Is My Aunt | 가족 | aunt, uncle, grandfather, family, friend | 102 |
| 3일 | Are You Thirsty? | 감정·상태 | happy, sad, angry, thirsty, hungry | 108 |
| 4일 | Is This Your Watch? | 사물 | bat, flag, watch, mirror, umbrella | 114 |
| 5일 | Do You Want Some Milk? | 음식 | soup, milk, fruit, apple pie, ice cream | 120 |
| 특강 | Brain Game Zone & 누구나 100점 TEST | | | 126 |

3주
단어

| 일 | 단원명 | 주제 | 단어 | 쪽수 |
|---|---|---|---|---|
| 1일 | Where Is My Glue Stick? | 사물 | paper, robot, tape, fork, glue stick | 138 |
| 2일 | It's Under the Desk | 위치 | in, on, under, desk, hat | 144 |
| 3일 | I'm Eleven Years Old | 숫자 | eleven, twelve, thirteen, fourteen, fifteen | 150 |
| 4일 | It's Two Forty | 숫자 | twenty, thirty, forty, fifty, o'clock | 156 |
| 5일 | It's Time for School | 일과 | breakfast, lunch, dinner, school, bed | 162 |
| 특강 | Brain Game Zone & 누구나 100점 TEST | | | 168 |

4주
단어

# 알파벳 이름과 소리

💙 알파벳의 이름과 소리를 알아보세요.

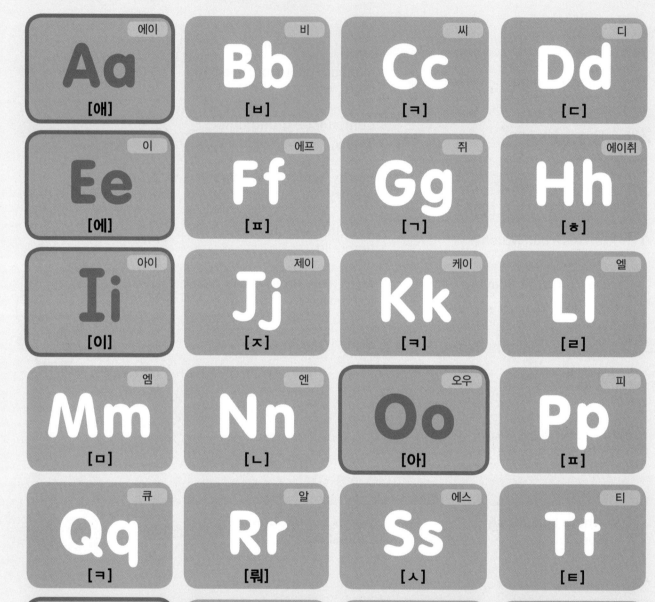

| 에이 | 비 | 씨 | 디 |
|---|---|---|---|
| **Aa** | **Bb** | **Cc** | **Dd** |
| [애] | [ㅂ] | [ㅋ] | [ㄷ] |

| 이 | 에프 | 쥐 | 에이취 |
|---|---|---|---|
| **Ee** | **Ff** | **Gg** | **Hh** |
| [에] | [ㅍ] | [ㄱ] | [ㅎ] |

| 아이 | 제이 | 케이 | 엘 |
|---|---|---|---|
| **Ii** | **Jj** | **Kk** | **Ll** |
| [이] | [ㅈ] | [ㅋ] | [ㄹ] |

| 엠 | 엔 | 오우 | 피 |
|---|---|---|---|
| **Mm** | **Nn** | **Oo** | **Pp** |
| [ㅁ] | [ㄴ] | [아] | [ㅍ] |

| 큐 | 알 | 에스 | 티 |
|---|---|---|---|
| **Qq** | **Rr** | **Ss** | **Tt** |
| [ㅋ] | [뤄] | [ㅅ] | [ㅌ] |

| 유 | 브이 | 더블유 | 엑스 |
|---|---|---|---|
| **Uu** | **Vv** | **Ww** | **Xx** |
| [어] | [ㅂ] | [워] | [ㅋㅅ] |

| 와이 | 지 |
|---|---|
| **Yy** | **Zz** |
| [이여] | [ㅈ] |

**Tip**
알파벳은 모음 5개, 자음 21개로 이루어져 있어.
한글에는 없는 발음도 있으니 유의해야 해.

# 함께 공부할 친구들

토냥이랑
제일 친한 애

고양이가
되고 싶어 하는 토끼

**삐**
좋아하는 것: 토냥이 따라다니기
싫어하는 것: 토냥이랑 떨어지는 것
잘하는 것: 삐! 삐! 노래 부르기

무슨 일이든 해결하는
척척박사

**토냥이**
좋아하는 것: 생선, 당근
싫어하는 것: 쥐
잘하는 것: 당근 패드로 정보 검색하기

실수투성이지만
마음 따뜻한 친구

**민아**
나이: 11살
좋아하는 것: 귀여운 물건 모으기
싫어하는 것: 약속 안 지키는 것

**혁**
나이: 11살
좋아하는 것: 스케이트보드 타기
싫어하는 것: 귀신의 집

개구쟁이
혁이 남동생

**준**
나이: 7살
좋아하는 것: 형, 누나 따라다니기
싫어하는 것: 혼자 놀기

💜 재미있는 이야기로 이번 주에 공부할 내용을 알아보세요.

**1주차 공부할 내용**

1일 장모음 a
2일 장모음 i
3일 장모음 o
4일 장모음 u
5일 장모음 복습

## 이번 주에는 무엇을 공부할까? ❷

**A**

◉ 단어의 끝에 어떤 모음이 오면 앞 모음이 길게 소리 나는지 찾아 동그라미 해 보세요.

bik ☐

답 ➜ e

**B**

모음 **a**는 어떤 때는 /애/로, 어떤 때는 /에이/로 소리가 나서 헷갈려.

내가 꿀팁을 알려 줄게. 단어가 **e**로 끝날 때 앞의 모음은 알파벳 이름으로 소리가 나.

아하, 단어 끝에 **e**가 오면 앞 모음이 /에이/, /오우/, /아이/, /유우/ 소리라는 거지?

끄덕
끄덕
똑똑!

a o i u

◉ 길게 소리 나는 장모음이 있는 단어에 동그라미 해 보세요.

fork

tape

dive

cute

doll

 답 tape, dive, cute

# 장모음 a

파닉스

💜 **재미있는 이야기로 오늘 배울 소리를 만나 보세요.**

☀ 오늘 배울 소리를 들으며 확인해 보세요.

# ake       ame       ape

# 소리 익히기

🎧 잘 듣고, 따라 말해 보세요.

## ake

장모음 a는 /에이/로 소리가 나고, /에이ㅋ/로 발음해요.

**b**ake      **c**ake

## ame

장모음 a는 /에이/로 소리가 나고, /에임/으로 발음해요.

**g**ame      **n**ame

## ape

장모음 a는 /에이/로 소리가 나고, /에이ㅍ/로 발음해요.

**c**ape      **t**ape

🥁 위의 그림을 짚으며 찬트 해 보세요.

잘 듣고, 알맞은 소리에 ✔ 표 하세요.

1. ☐ **ame**　☐ **ape**

2. ☐ **ake**　☐ **ame**

3. ☐ **ake**　☐ **ame**

4. ☐ **ape**　☐ **ake**

 잘 듣고, 알맞은 소리와 연결하세요.

1.
 **g** ·

· **ape**

· **ame**

2.
 **t** ·

· **ape**

· **ake**

3.
 **b** ·

· **ame**

· **ake**

**1**일 VOCA

# 소리 확인하기

A 그림에 알맞은 소리를 색칠하세요.

1.

c ake
b ape

2.

n ame
t ape

3.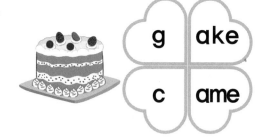

g ake
c ame

4.

c ame
n ape

B 그림에 알맞은 단어를 찾아 동그라미 하세요.

1.

2.

3.

k e t a p e u s g a m e k l b a k e n o m

**C** 잘 듣고, 알맞은 소리에 동그라미 한 후 단어를 완성하세요.

1.
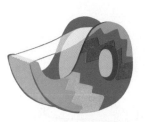

ame

ape

t

2.

ape

ake

c

3.

ape

ame

c

4.

ame

ake

n

꼼꼼 확인!

◉ 잘 듣고, 소리에 해당하는 알파벳을 쓰세요.

1. ☐   2. ☐   3. ☐

# 장모음 i <sup>파닉스</sup>

💟 **재미있는 이야기로 오늘 배울 소리를 만나 보세요.**

1 주

🌸 오늘 배울 소리를 들으며 확인해 보세요.

| ike | ine | ive |
|-----|-----|-----|

# 소리 익히기

🎧 잘 듣고, 따라 말해 보세요.

## ike

장모음 i는 /아이/로 소리가 나고,
/아이ㅋ/로 발음해요.

bike

like

## ine

장모음 i는 /아이/로 소리가 나고,
/아인/으로 발음해요.

line

pine

## ive

장모음 i는 /아이/로 소리가 나고,
/아이브/로 발음해요.

dive

five

🥁 위의 그림을 짚으며 찬트 해 보세요.

**A** 잘 듣고, 알맞은 소리에 동그라미 하세요.

1.

ike　ine

2.

ive　ine

3.

ike　ive

4.

ine　ive

**B** 잘 듣고, 알맞은 소리에 ✓ 표 하세요.

1.

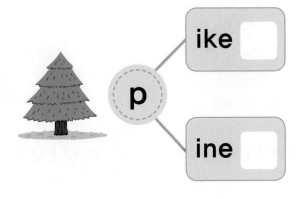

ike ☐

ine ☐

p

2.

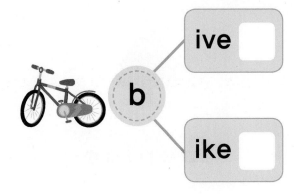

ive ☐

b

ike ☐

# 소리 확인하기

A 그림의 첫소리에 해당하는 알파벳에 동그라미 한 후 나머지 소리와 연결하세요.

1. 
   d
   f
   · ·
   ike

2. 
   b
   l
   · ·
   ine

3. 
   l
   p
   · ·
   ive

B 그림에 알맞은 단어를 찾아 동그라미 하세요.

1. 
   ipepine

2. 
   nelikej

3.
   cdiveyg

**C** 잘 듣고, 알맞은 소리를 보기 에서 골라 단어를 완성하세요.

보기    ive     ike     ine

1.

\_\_\_|_____

2.

\_\_\_|_____

3.

    **5**

\_\_\_f_____

4.

\_\_\_b_____

꼼꼼 확인!

◉ 잘 듣고, 소리에 해당하는 알파벳을 쓰세요.

1. ☐     2. ☐     3. ☐

# 장모음 o ^(파닉스)

💜 **재미있는 이야기로 오늘 배울 소리를 만나 보세요.**

오늘 반드시 내가 이길 테다!

게임존 아이템

⚘ 오늘 배울 소리를 들으며 확인해 보세요.

## ope        ose        ote

# 소리 익히기

🎧 잘 듣고, 따라 말해 보세요.

## ope

장모음 o는 /오우/로 소리가 나고,
/오우ㅍ/로 발음해요.

hope

rope

## ose

장모음 o는 /오우/로 소리가 나고,
/오우ㅈ/로 발음해요.

nose

hose

## ote

장모음 o는 /오우/로 소리가 나고,
/오우ㅌ/로 발음해요.

note

투표함
vote

🥁 위의 그림을 짚으며 찬트 해 보세요.

**A** 잘 듣고, 알맞은 소리에 ✔ 표 하세요.

1. ☐ ope  ☐ ose

2. ☐ ose  ☐ ote

3. ☐ ote  ☐ ope

4. ☐ ose  ☐ ope

**B** 잘 듣고, 알맞은 소리와 연결하세요.

1.

투표함

v

· ope

· ote

2.

n

· ote

· ose

3.

r

· ope

· ose

# 소리 확인하기

**A** 그림에 알맞은 소리를 색칠하세요.

1.
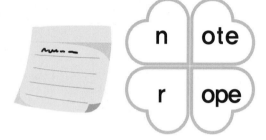

| n | ote |
| r | ope |

2.

| h | ope |
| r | ose |

3.

| n | ope |
| h | ose |

4.
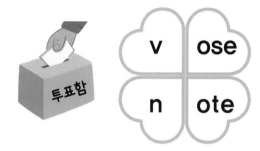

| v | ose |
| n | ote |

**B** 그림에 알맞은 단어를 찾아 동그라미 하세요.

1.

2.

3.

g v o t e k h o s e c n o s e s v r o p e

6

1
주

**C** 잘 듣고, 알맞은 소리에 동그라미 한 후 단어를 완성하세요.

1.
ope

ote

r _____

2.
ote

ope

h _____

3.
ose

ope

h _____

4.
ote

ose

n _____

**꼼꼼 확인!**

◉ 잘 듣고, 소리에 해당하는 알파벳을 쓰세요.

7

1. [        ]    2. [        ]    3. [        ]

# 장모음 u <sup>파닉스</sup>

💜 **재미있는 이야기로 오늘 배울 소리를 만나 보세요.**

게임존 아이템

⚙ 오늘 배울 소리를 들으며 확인해 보세요.

## ube

## une

## ute

# 소리 익히기

🎧 잘 듣고, 따라 말해 보세요.

## ube

장모음 u는 /유우/로 소리가 나고,
/유ㅂ/로 발음해요.

 cube

 tube

## une

장모음 u는 /유우/로 소리가 나고,
/유ㄴ/으로 발음해요.

 June

 tune

## ute

장모음 u는 /유우/로 소리가 나고,
/유ㅌ/로 발음해요.

 cute

 mute

🥁 위의 그림을 짚으며 찬트 해 보세요.

**A** 잘 듣고, 알맞은 소리에 동그라미 하세요.

1.

une   ute

2.

ube   ute

3.

une   ube

4.

ute   une

 **B** 잘 듣고, 알맞은 소리에 ✔ 표 하세요.

1.

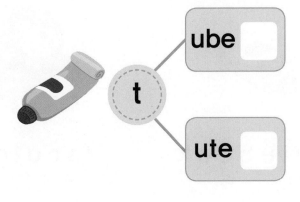

t — ube ☐

t — ute ☐

2.

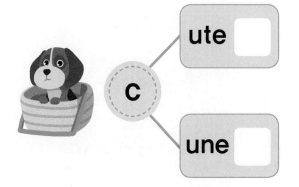

c — ute ☐

c — une ☐

# 소리 확인하기

**A** 그림의 첫소리에 해당하는 알파벳에 동그라미 한 후 나머지 소리와 연결하세요.

1.

J
t

ube

2.

t
c

une

3.

m
c

ute

**B** 그림에 알맞은 단어를 찾아 동그라미 하세요.

1.

vtJuney

2.

mtubeck

3.

tscutey

**C** 잘 듣고, 알맞은 소리를 보기 에서 골라 단어를 완성하세요.

보기　　**ube**　　　**une**　　　**ute**

1.

m＿＿＿＿＿＿

2.

t＿＿＿＿＿＿

3.

c＿＿＿＿＿＿

4.

t＿＿＿＿＿＿

꼼꼼 확인!

◉ 잘 듣고, 소리에 해당하는 알파벳을 쓰세요.

1. ＿＿＿＿　　　2. ＿＿＿＿　　　3. ＿＿＿＿

# 장모음 복습 <sup>파닉스</sup>

💜 **재미있는 이야기로 이번 주에 배운 내용을 복습해 보세요.**

a /애/ → a_e /에이/

i /이/ → i_e /아이/

o /아/ → o_e /오우/

u /어/ → u_e /유우/

❄ 잘 듣고, 배운 소리를 확인해 보세요.

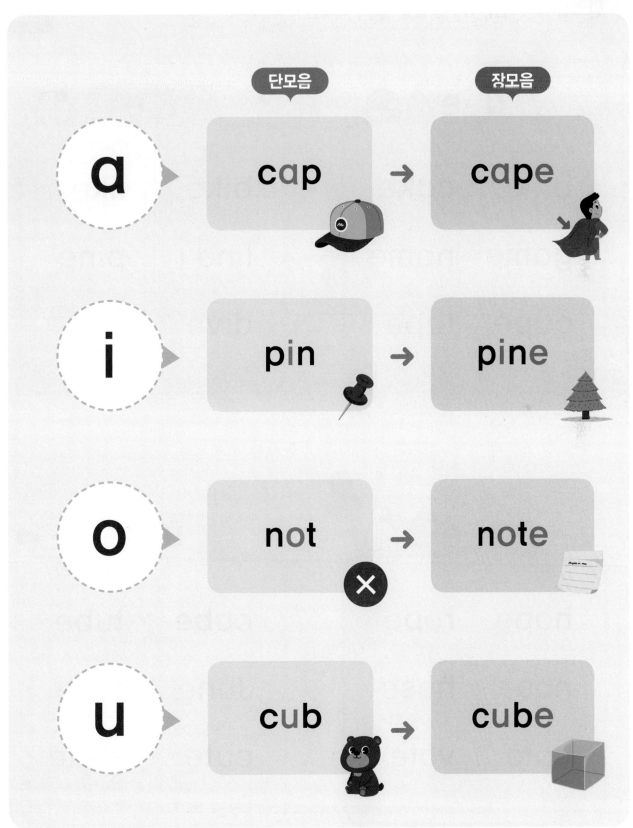

# 소리 복습하기 ①

🎧 단어를 모두 읽은 후, 음원을 들으며 확인해 보세요.

## a_e

| bake | cake |
|------|------|
| game | name |
| cape | tape |

## i_e

| bike | like |
|------|------|
| line | pine |
| dive | five |

## o_e

| hope | rope |
|------|------|
| nose | hose |
| note | vote |

## u_e

| cube | tube |
|------|------|
| June | tune |
| cute | mute |

**A** 잘 듣고, 알맞은 단어에 ✔ 표 하세요.

1. ☐ cape ☐ tape

2. ☐ pine ☐ line

3. ☐ June ☐ tune

4. ☐ vote ☐ note

**B** 잘 듣고, 알맞은 단어에 번호를 쓴 후 그림과 연결하세요.

☐ name ·

☐ hose ·

☐ mute ·

# 소리 복습하기 ②

 **A** 그림에 알맞은 단어를 찾아 동그라미 하세요.

1.

2.

3.

v t l i k e d k t u b e m c y c u t e m d

**B** 그림에 알맞은 소리를 골라 연결한 후 쓰세요.

1.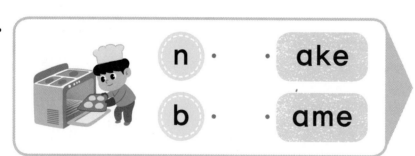

n · · ake

b · · ame

2.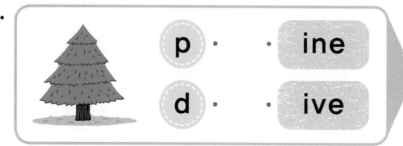

p · · ine

d · · ive

▶정답 5쪽

 잘 듣고, 그림에 알맞은 단어를 완성하세요.

**1.**

c _____

**2.**

g _____

**3.**

t _____

**4.**

l _____

**5.**

n _____

**6.**

m _____

배운 내용을 떠올리며 말판 놀이를 해 보세요.

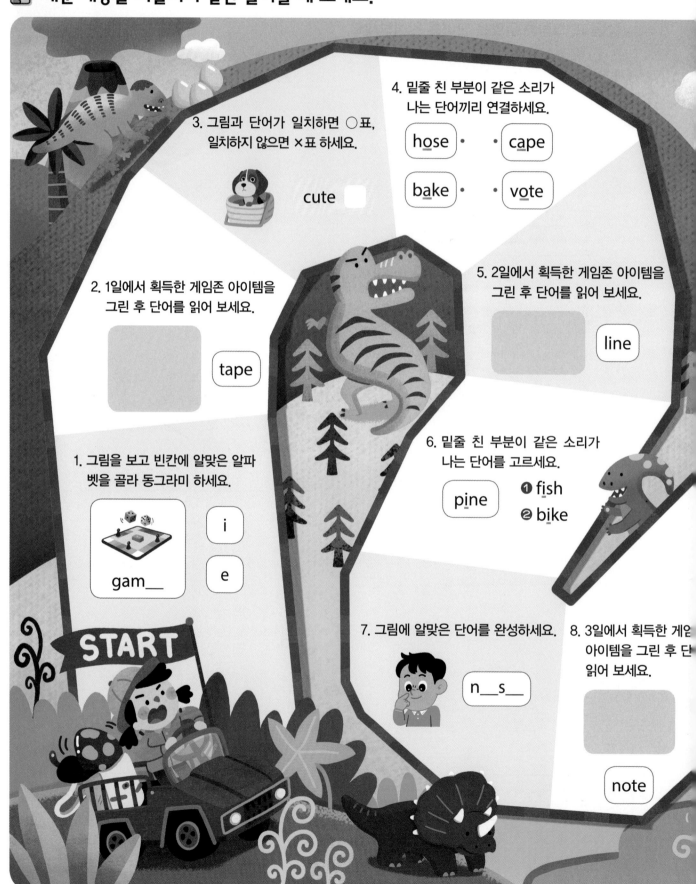

3. 그림과 단어가 일치하면 ○표, 일치하지 않으면 ×표 하세요.

cute

4. 밑줄 친 부분이 같은 소리가 나는 단어끼리 연결하세요.

h<u>o</u>se ·   · c<u>a</u>pe
b<u>a</u>ke ·   · v<u>o</u>te

2. 1일에서 획득한 게임존 아이템을 그린 후 단어를 읽어 보세요.

tape

5. 2일에서 획득한 게임존 아이템을 그린 후 단어를 읽어 보세요.

line

1. 그림을 보고 빈칸에 알맞은 알파벳을 골라 동그라미 하세요.

gam__

i
e

6. 밑줄 친 부분이 같은 소리가 나는 단어를 고르세요.

p<u>i</u>ne

❶ f<u>i</u>sh
❷ b<u>i</u>ke

7. 그림에 알맞은 단어를 완성하세요.

n__s__

8. 3일에서 획득한 게임 아이템을 그린 후 단 읽어 보세요.

note

START

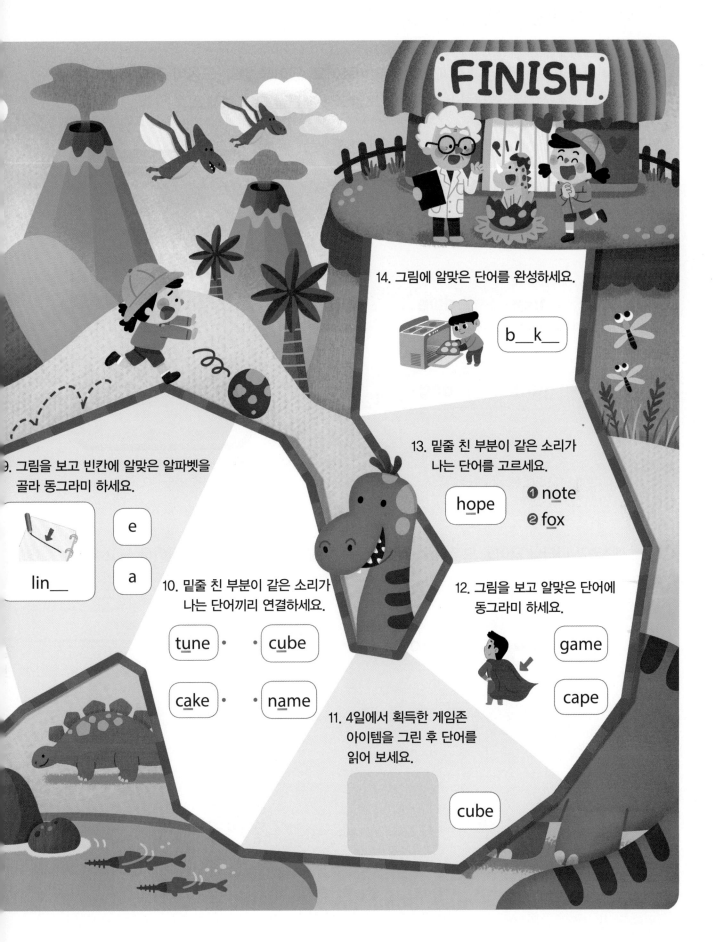

**FINISH**

14. 그림에 알맞은 단어를 완성하세요.

b__k__

13. 밑줄 친 부분이 같은 소리가 나는 단어를 고르세요.

hope

❶ n<u>o</u>te

❷ f<u>o</u>x

9. 그림을 보고 빈칸에 알맞은 알파벳을 골라 동그라미 하세요.

e

a

lin__

10. 밑줄 친 부분이 같은 소리가 나는 단어끼리 연결하세요.

t<u>u</u>ne ・ ・ c<u>u</u>be

c<u>a</u>ke ・ ・ n<u>a</u>me

12. 그림을 보고 알맞은 단어에 동그라미 하세요.

game

cape

11. 4일에서 획득한 게임존 아이템을 그린 후 단어를 읽어 보세요.

cube

**A** 혁이가 스마트폰 잠금 해제 패턴을 잊어버렸어요. 단어를 읽고, 모음이 길게 소리 나는 징검다리를 선으로 연결하여 나타나는 모양으로 패턴을 그려 보세요.

**B** 매직e가 나타나 단어를 모두 바꿔 버렸어요. 단서 를 보고, 규칙을 찾아 단어를 쓰고 읽어 보세요.

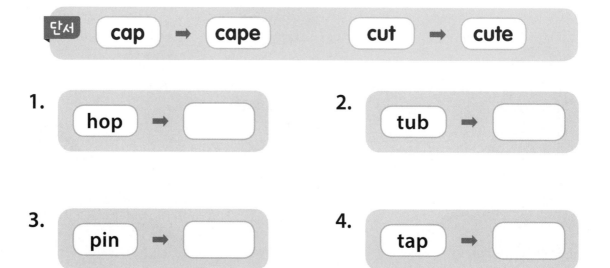

단서 cap → cape    cut → cute

1. hop →

2. tub →

3. pin →

4. tap →

ﾊ

**C** 외계인 친구가 집에 돌아가려면 장모음 a, i, o, u 소리를 가진 행성을 지나야 해요. 친구가 집으로 가는 길을 그리고, 단어를 읽어 보세요.

도착

출발

Level 2 A • **45**

D 토냥이가 사탕을 쏟는 바람에 장모음이 있는 단어가 섞여 버렸어요. 각 병에 알맞은 소리가 나는 단어를 골라 완성하고, 읽어 보세요.

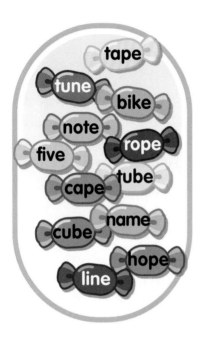

tape
tune
bike
note
rope
five
tube
cape
name
cube
line
hope

1.

장모음 a

tape
c__p__
n__m__

2.

장모음 i

bike
l__n__
f__v__

3.

장모음 o

note
r__p__
h__p__

4.

장모음 u

cube
t__n__
t__b__

E 그림에 알맞은 퍼즐 조각을 선으로 연결한 후 완성되는 단어를 읽어 보세요.

1.
c

2.
l

3.
c

4.
n

ine

ote

ape

ube

F   민아가 원판놀이를 하고 있어요. 화살을 던져 그림에 알맞은 단어와 해당 칸의 점수를 쓴 후, 점수를 모두 합하여 민아가 받을 수 있는 상품을 우리말로 쓰세요.

**1.**

game   **15**

**2.**

**3.**

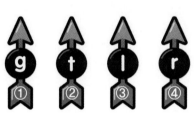

**4.**

| ■ 5점 | ■ 10점 | □ 15점 | ■ 20점 |

| 상품 | | | 민아가 받을 상품 |
|------|------|------|------|
| 30~35점 | 40~45점 | 50점 | |

**1** 글자를 소리 내어 읽으세요.

(1) ake

(2) ike

**2** 그림에 알맞은 소리를 골라 ✓표 하세요.

(1)
☐ ive
☐ ope

(2)
☐ une
☐ ose

**3** 소리에 알맞은 그림을 골라 동그라미 하세요.

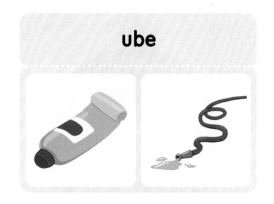

ube

**4** 그림에 알맞은 소리와 연결하세요.

(1) · · ote

(2) · · ike

(3) · · ute

**5** 그림과 소리가 일치하면 ○ 표, 일치하지 <u>않으면</u> × 표 하세요.

(1)

ake ☐

(2)

ose ☐

**6** 빈칸에 공통으로 알맞은 소리에 ✔ 표 하세요.

b_ke    t_pe

a ☐    u ☐    o ☐

**7** 그림에 알맞은 소리를 골라 단어를 완성하세요.

n_____

(ake / ame)

**8** 그림에 알맞은 소리를 보기 에서 골라 단어를 완성하세요.

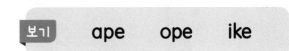

보기    ape    ope    ike

(1)

c_____

(2)

b_____

# 이번 주에는 무엇을 공부할까? ❶

💛 재미있는 이야기로 이번 주에 공부할 내용을 알아보세요.

**2주차 공부할 내용**

**1일** 이중자음 cl, fl, gl

**2일** 이중자음 br, dr, tr

**3일** 이중자음 sk, st, sw

**4일** 이중자음 ch, sh, th

**5일** 이중자음 복습

A

◉ 이중자음인 글자에 동그라미 해 보세요.

**th**

**ig**

**br**

**fl**

**ox**

답 ▶ th, br, fl

**B**

◉ 밑줄 친 이중자음이 만나 새로운 소리가 나는 단어에 동그라미 해 보세요.

flag

three

glove

dress

lunch

답 three, lunch

# 이중자음 cl, fl, gl <sup>파닉스</sup>

💜 **재미있는 이야기로 오늘 배울 소리를 만나 보세요.**

게임존 아이템

⚜ 오늘 배울 소리를 들으며 확인해 보세요.

| cl | fl | gl |
|----|----|----|

# 소리 익히기

🎧 잘 듣고, 따라 말해 보세요.

## cl

c와 l 소리를 연결하여 /클ㄹ/라고 발음해요.

clip

clock

## fl

f와 l 소리를 연결하여 /플ㄹ/라고 발음해요.

flag

flower

## gl

g와 l 소리를 연결하여 /글ㄹ/라고 발음해요.

glass

glove

🥁 위의 그림을 짚으며 찬트 해 보세요.

**A** 잘 듣고, 알맞은 소리에 ✔ 표 하세요.

1. ☐ fl  ☐ gl

2. ☐ cl  ☐ gl

3. ☐ cl  ☐ fl

4. ☐ gl  ☐ fl

**B** 잘 듣고, 알맞은 소리에 동그라미 한 후 나머지 소리와 연결하세요.

1. 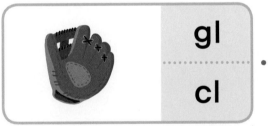 gl / cl

· ag

2.  fl / cl

· ock

3.  gl / fl

· ove

# 소리 확인하기

**A** 그림에 알맞은 소리를 색칠하세요.

1.
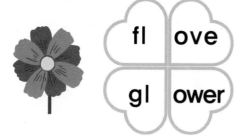

| fl | ove |
|---|---|
| gl | ower |

2.
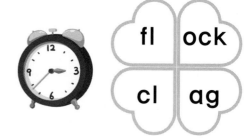

| fl | ock |
|---|---|
| cl | ag |

3.
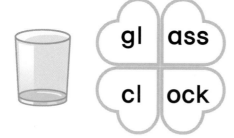

| gl | ass |
|---|---|
| cl | ock |

4.
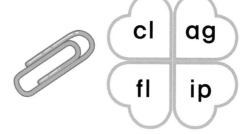

| cl | ag |
|---|---|
| fl | ip |

**B** 그림에 알맞은 단어를 찾아 동그라미 하세요.

1.

2.

3.
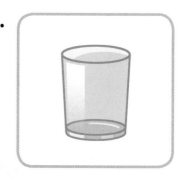

l g c l o c k t u f l a g i p g l a s s f l

**C** 잘 듣고, 알맞은 소리에 동그라미 한 후 단어를 완성하세요.

1.

gl

fl

_____ove

2.

cl

fl

_____ag

**2** 주

3.

gl

cl

_____ip

4.

fl

gl

_____ower

◉ 잘 듣고, 소리에 해당하는 알파벳을 쓰세요.

1. _____    2. _____    3. _____

# 이중자음 br, dr, tr <sup>파닉스</sup>

💜 **재미있는 이야기로 오늘 배울 소리를 만나 보세요.**

여기는 건물도 나무도 모두 **R** 모양이야.

윽, 이게 무슨 냄새야?

윙~

br

빵에서 이런 냄새가 나다니…. 앗, 저기 br이야!

br

b는 /브/, r은 /뤄/, /브뤄/야.

r을 소리 낼 때는 혀끝을 앞니 뒤쪽에 대지 말고, 혀를 말아서 입안의 중간에 오게 해야 해.

/브/, /뤄/, /브뤄/야.

bread

나는 /브뤠드/야.

dr

딱 내 스타일이야! 어떤 색일지 너무 궁금해.

/드/, /뤄/, /드뤄/, /드뤠스/야.

와! 신난다.

dress

우와~

2
주

게임존 아이템

※ 오늘 배울 소리를 들으며 확인해 보세요.

| br | dr | tr |
|----|----|----|

# 소리 익히기

🎧 잘 듣고, 따라 말해 보세요.

| **br** | | |
|---|---|---|
| b와 r 소리를 연결하여 /브뤄/라고 발음해요. | <br>**br**ave | <br>**br**ead |
| **dr**<br>d와 r 소리를 연결하여 /드뤄/라고 발음해요. | <br>**dr**ess | <br>**dr**um |
| **tr**<br>t와 r 소리를 연결하여 /트뤄/라고 발음해요. | <br>**tr**ain | <br>**tr**ee |

🥁 위의 그림을 짚으며 찬트 해 보세요.

**A** 잘 듣고, 알맞은 소리에 동그라미 하세요.

1.

tr    br

2.

dr    br

3.

dr    tr

4.

tr    br

**B** 잘 듣고, 알맞은 소리에 ✔ 표 하세요.

1.
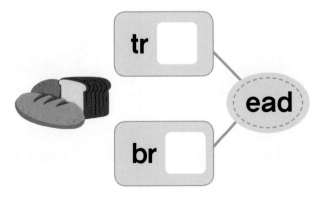
tr ☐
br ☐
ead

2.
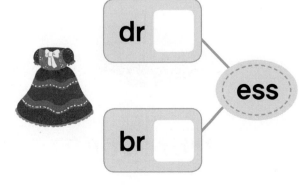
dr ☐
br ☐
ess

# 소리 확인하기

**A** 그림과 알맞은 소리를 연결하세요.

1.  ·    · **br** ·    · **um**

2.  ·    · **dr** ·    · **ee**

3.  ·    · **tr** ·    · **ɑve**

**B** 그림에 알맞은 단어를 찾아 동그라미 하세요.

1.
**trbreadu**

2.
**cedresse**

3.
**ratrainn**

 잘 듣고, 알맞은 소리를 보기에서 골라 단어를 완성하세요.

보기    **tr    dr    br**

1.

_____um

2.

_____ee

3.

_____ain

4.

_____ave

● 잘 듣고, 소리에 해당하는 알파벳을 쓰세요.

1. [          ]    2. [          ]    3. [          ]

# 이중자음 sk, st, sw

파닉스

💜 **재미있는 이야기로 오늘 배울 소리를 만나 보세요.**

🌸 오늘 배울 소리를 들으며 확인해 보세요.

| sk | st | sw |
|---|---|---|

# 소리 익히기

🎧 잘 듣고, 따라 말해 보세요.

## sk

s와 k 소리를 연결하여 /스ㅋ/라고 발음해요.

sk**ate**

ski

## st

s와 t 소리를 연결하여 /스ㅌ/라고 발음해요.

st**ar**

st**ove**

## sw

s와 w 소리를 연결하여 /스워/라고 발음해요.

sw**eet**

sw**im**

🥁 위의 그림을 짚으며 찬트 해 보세요.

**A** 잘 듣고, 알맞은 소리에 ✔ 표 하세요.

1. ☐ sw  ☐ st

2. ☐ sw  ☐ sk

3. ☐ sk  ☐ st

4. ☐ sk  ☐ st

**B** 잘 듣고, 알맞은 소리에 동그라미 한 후 나머지 소리와 연결하세요.

1.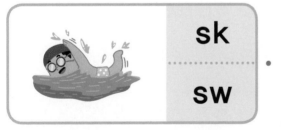
sk
sw

ate

2.
sk
st

im

3.
sw
st

ove

# 소리 확인하기

**A** 그림에 알맞은 소리를 색칠하세요.

**1.**

| sk | im |
| sw | i |

**2.**

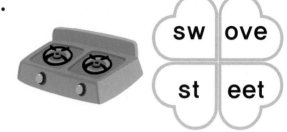

| sw | ove |
| st | eet |

**3.**

| sw | ar |
| st | eet |

**4.**

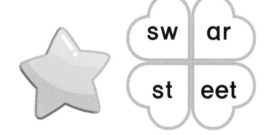

| sw | im |
| sk | ate |

**B** 그림에 알맞은 단어를 찾아 동그라미 하세요.

**1.**

**2.**

**3.**

s k i s w e e t e v s k a t e y s t o v e s

**C** 잘 듣고, 알맞은 소리에 동그라미 한 후 단어를 완성하세요.

2
주

1.

sw

sk

_____eet

2.

st

sk

_____ar

3.

st

sw

_____im

4.

sk

st

_____i

 꼼꼼 확인!

◉ 잘 듣고, 소리에 해당하는 알파벳을 쓰세요.

1. [  ]     2. [  ]     3. [  ]

# 이중자음 ch, sh, th
파닉스

💙 **재미있는 이야기로 오늘 배울 소리를 만나 보세요.**

❋ 오늘 배울 소리를 들으며 확인해 보세요.

| | | |
|---|---|---|
| **ch** | **sh** | **th** |

# 소리 익히기

🎧 잘 듣고, 따라 말해 보세요.

## ch
허끝을 윗니 뒤쪽에 댔다가 떼면서 /취/라고 발음해요.

 chair

 lunch

## sh
입술을 내밀고 공기를 내보내면서 /쉬/라고 발음해요.

 ship

 brush

## th
 허를 이 사이에 두고 공기를 내보내면서 /쓰/라고 발음해요.

 three

 bath

🥁 위의 그림을 짚으며 찬트 해 보세요.

2
주

**A** 잘 듣고, 알맞은 소리에 동그라미 하세요.

1.

th    sh

2.

th    ch

3.

sh    ch

4.

th    sh

**B** 잘 듣고, 알맞은 소리에  표 하세요.

1.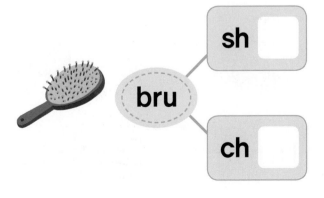

sh ☐

bru

ch ☐

2.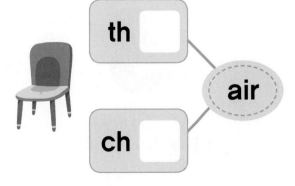

th ☐

air

ch ☐

# 소리 확인하기

 그림과 알맞은 소리를 연결하세요.

1.
 · · ch · · ree

2.
 · · sh · · air

3.
 · · th · · ip

 그림에 알맞은 단어를 찾아 동그라미 하세요.

1.

**threehru**

2.

**hslunchp**

3.

**dcbrushh**

 잘 듣고, 알맞은 소리를 보기 에서 골라 단어를 완성하세요.

2
주

| 보기 | **th** | **ch** | **sh** |

1.

ba_____

2.

_____air

3.

lun_____

4.

_____ip

 잘 듣고, 소리에 해당하는 알파벳을 쓰세요.

1. ☐   2. ☐   3. ☐

# 이중자음 복습

파닉스

💜 **재미있는 이야기로 이번 주에 배운 내용을 복습해 보세요.**

☀ 잘 듣고, 배운 소리를 확인해 보세요.

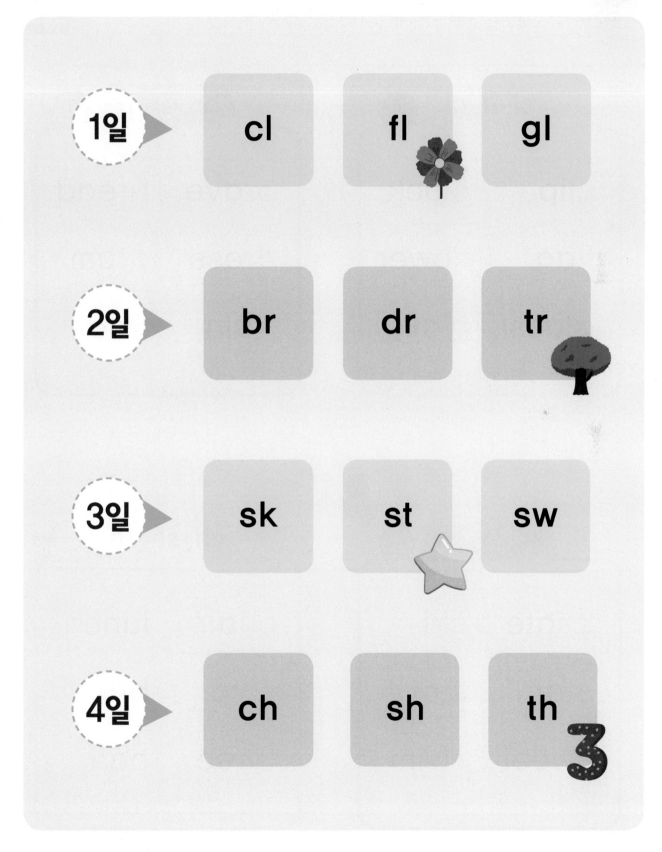

| 1일 | cl | fl | gl |
| 2일 | br | dr | tr |
| 3일 | sk | st | sw |
| 4일 | ch | sh | th |

# 소리 복습하기 ①

🎧 단어를 모두 읽은 후, 음원을 들으며 확인해 보세요.

### cl, fl, gl

| | |
|---|---|
| clip | clock |
| flag | flower |
| glass | glove |

### br, dr, tr

| | |
|---|---|
| brave | bread |
| dress | drum |
| train | tree |

### sk, st, sw

| | |
|---|---|
| skate | ski |
| star | stove |
| sweet | swim |

### ch, sh, th

| | |
|---|---|
| chair | lunch |
| ship | brush |
| three | bath |

**A** 잘 듣고, 알맞은 단어에 ✔ 표 하세요.

1. ☐ clip  ☐ flag

2. ☐ drum  ☐ train

3. ☐ chair  ☐ ship

4. ☐ stove  ☐ sweet

**2** 주

**B** 잘 듣고, 알맞은 단어에 번호를 쓴 후 그림과 연결하세요.

☐ bread ·

☐ lunch ·

☐ glass ·

# 소리 복습하기 ②

 그림에 알맞은 단어를 찾아 동그라미 하세요.

1.

2.

3.

**s t s k a t e s k c l o c k k f l o w e r g**

B 그림에 알맞은 소리를 골라 연결한 후 쓰세요.

1.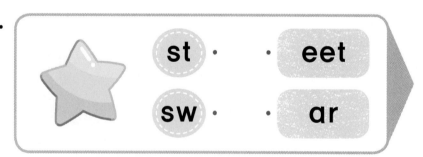

st · · eet

sw · · ar

2.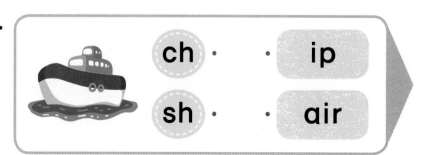

ch · · ip

sh · · air

C. 잘 듣고, 그림에 알맞은 단어를 완성하세요.

**1.**

bru____

**2.**

____ree

**3.**

____ate

**4.**

____ove

**5.**

____ave

**6.**

____air

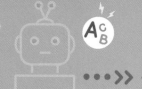

🧩 배운 내용을 떠올리며 말판 놀이를 해 보세요.

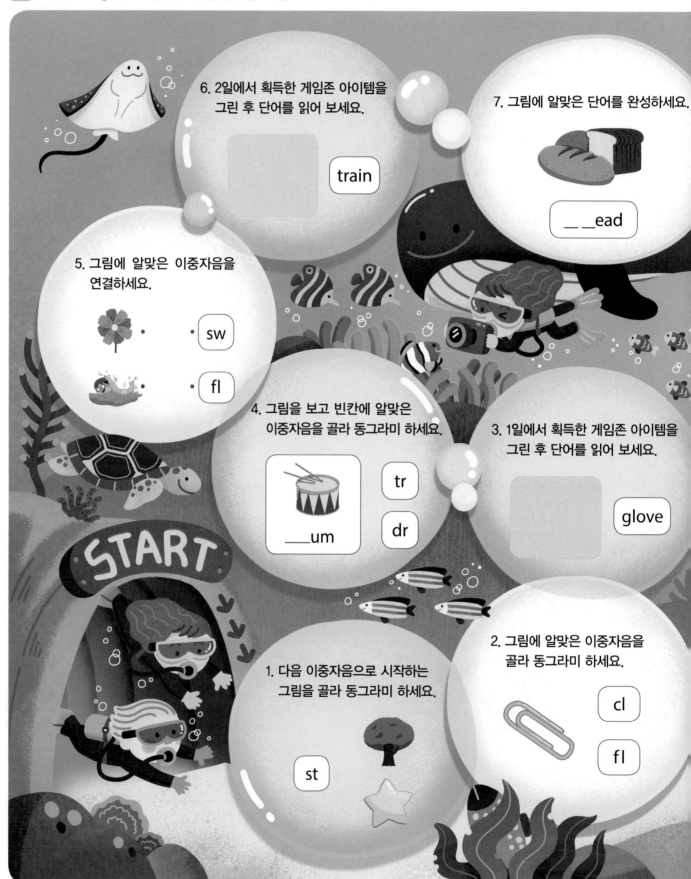

6. 2일에서 획득한 게임존 아이템을 그린 후 단어를 읽어 보세요.

train

7. 그림에 알맞은 단어를 완성하세요.

__ __ead

5. 그림에 알맞은 이중자음을 연결하세요.

· sw

· fl

4. 그림을 보고 빈칸에 알맞은 이중자음을 골라 동그라미 하세요.

___um

tr

dr

3. 1일에서 획득한 게임존 아이템을 그린 후 단어를 읽어 보세요.

glove

START

1. 다음 이중자음으로 시작하는 그림을 골라 동그라미 하세요.

st

2. 그림에 알맞은 이중자음을 골라 동그라미 하세요.

cl

fl

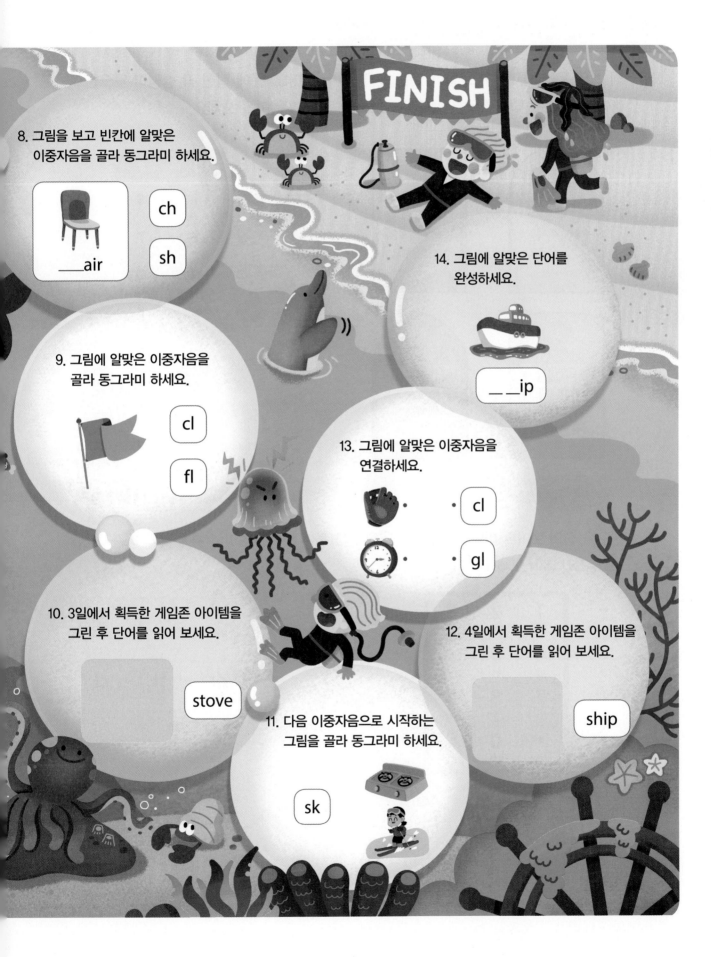

8. 그림을 보고 빈칸에 알맞은 이중자음을 골라 동그라미 하세요.

___air

ch

sh

9. 그림에 알맞은 이중자음을 골라 동그라미 하세요.

cl

fl

10. 3일에서 획득한 게임존 아이템을 그린 후 단어를 읽어 보세요.

stove

11. 다음 이중자음으로 시작하는 그림을 골라 동그라미 하세요.

sk

14. 그림에 알맞은 단어를 완성하세요.

__ __ip

13. 그림에 알맞은 이중자음을 연결하세요.

cl

gl

12. 4일에서 획득한 게임존 아이템을 그린 후 단어를 읽어 보세요.

ship

**A** 네 개의 문을 통과해야 보물이 있는 곳을 알 수 있어요. 문에 적힌 각 설명이 맞으면 T, 틀리면 F를 고른 후, 획득한 알파벳을 모아 보물이 있는 곳을 쓰세요.

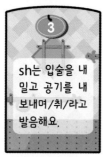
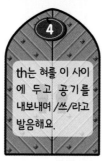

| | T | F |
|---|---|---|
| 1 | t | s |
| 2 | t | r |
| 3 | a | e |
| 4 | e | r |

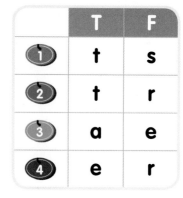
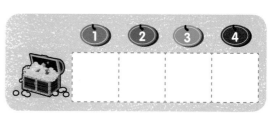

**B** 친구들 집의 도어록 비밀번호예요. 힌트를 참고하여 비밀번호의 순서에 맞게 이중자음을 쓰고, 소리 내어 보세요.

| 1 fl | 2 br | 3 gl |
|---|---|---|
| 4 st | 5 tr | 6 sw |
| 7 dr | 8 ch | 9 sk |
| * th | 0 sh | # cl |

**힌트**

🔑 | 3 | 7 | 1 | # |

gl → dr → fl → cl

1.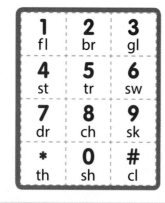

🔑 | 6 | 2 | 9 | * |

□ → □ → □ → □

2.

🔑 | 8 | 5 | 0 | 4 |

□ → □ → □ → □

**C** 로봇이 말하는 이중자음 소리 순서대로 해당 그림을 따라가며 미로를 빠져나가 보세요.

sk → br → cl → th → sw → tr → sh → gl

출발

도착

# Brain Game Zone

**D** 토냥이가 공책에 주스를 쏟아 단어의 앞 두 글자가 지워졌어요. 단서 를 이용해 지워진 글자를 찾아 단어를 쓰고, 읽어 보세요.

1. ove  2. ower

3. ip   4. air

단서

1. _____   2. _____

3. _____   4. _____

**E** 준이가 컴퓨터 비밀번호를 잊어버렸어요. 각 단어를 완성한 후 가로, 세로의 세 단어에 공통으로 들어가는 알파벳을 모아 비밀번호를 쓰세요.

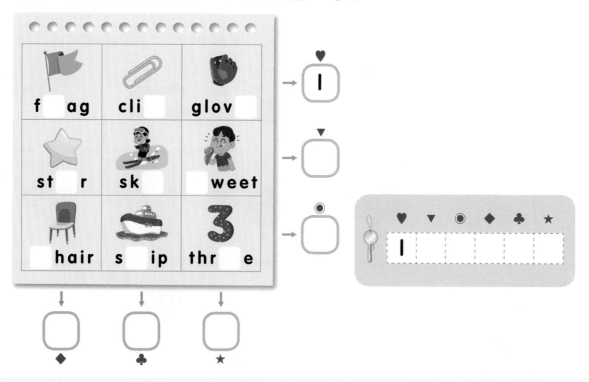

f ag   cli   glov

st r   sk    weet

hair   s ip   thr e

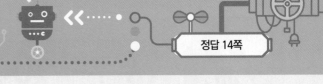

**F** 몬스터들이 단어 서바이벌 게임 문제를 내고 있어요. 각 단계마다 살아남은 단어를 쓰고, 읽어 보세요.

| skate | star | glass | stove | sweet | lunch |
|-------|------|-------|-------|-------|-------|
| bread | dress | train | clip | flower | three |

**1단계** 　단어의 알파벳 개수가 다섯 개인 단어만 살아남는다.

> skate

**2단계** 　단어에 알파벳 e가 있는 단어만 살아남는다.

**3단계** 　첫 소리에 /스/가 포함되어 있는 단어만 살아남는다.

**1** 글자를 소리 내어 읽으세요.

(1)
gl

(2)
sh

**2** 그림에 알맞은 소리를 골라 ✔표 하세요.

(1)
☐ fl
☐ cl

(2)
☐ br
☐ dr

**3** 소리에 알맞은 그림을 골라 동그라미 하세요.

tr

**4** 그림에 알맞은 소리와 연결하세요.

(1)
 · · ch

(2)
 · · st

(3)
 · · br

**5** 그림과 소리가 일치하면 ○ 표, 일치하지 <u>않으면</u> × 표 하세요.

(1)

st ☐

(2)

th ☐

**6** 빈칸에 공통으로 알맞은 소리에 ✓ 표 하세요.

__ip          bru__

ch ☐     sh ☐

**7** 그림에 알맞은 소리를 골라 단어를 완성하세요.

_____ **im**

(st / sw)

**8** 그림에 알맞은 소리를 보기 에서 골라 단어를 완성하세요.

보기     dr     br     tr

(1)

_____ **ain**

(2)

_____ **um**

# 이번 주에는 무엇을 공부할까? ❶

♥ 재미있는 이야기로 이번 주에 공부할 내용을 알아보세요.

**3주차 공부할 내용**

1일 **Good Morning** 때

2일 **This Is My Aunt** 가족

3일 **Are You Thirsty?** 감정·상태

4일 **Is This Your Watch?** 사물

5일 **Do You Want Some Milk?** 음식

◉ 지금 여러분의 감정이나 상태에 동그라미 해 보세요.

**sad**

**happy**

**hungry**

**thirsty**

**angry**

**B**

◉ 여러분이 가장 좋아하는 음식에 동그라미 해 보세요.

soup

milk

fruit

apple pie

ice cream

안녕
# Good Morning
단어

♥ 재미있는 이야기로 오늘 배울 단어를 만나 보세요.

✳️ 오늘 배울 단어를 들으며 따라 말해 보세요.

## morning
아침

## afternoon
오후

## evening
저녁

## night
밤

## day
낮, 하루

● 찬트 해 보세요.

# 단어 쑥쑥

3

**A** 잘 듣고, 알맞은 단어에 동그라미 하세요.

단어
듣기

**1.**

morning
evening

**2.**

afternoon
night

**3.**

evening
afternoon

**B** 그림에 알맞은 단어를 연결하세요.

의미
연결

**1.**

아침

**2.**

오후

evening

afternoon

morning

night

**3.**

밤

**4.**

저녁

**C** 그림에 알맞은 단어를 보기 에서 골라 쓰세요.

단어
쓰기

보기 **night    morning    evening    afternoon**

1.

2.

3.

4.

**D** 잘 듣고, 그림에 알맞은 단어를 완성하세요.

단어
완성

1.

d □ □

2.

□ ig □ t

3.

m □ r □ in □

# 문장 쑥쑥

**A** 단어를 읽고, 문장 속에서 따라 쓰세요.

**1.**  morning 아침 → **Good** morning.

안녕. (아침 인사)

**2.**  evening 저녁 → **Good** evening.

안녕. (저녁 인사)

만나는 때에 따라 하는 인사가 달라요. 'Good + 때를 나타내는 말.'로 인사해요.

**B** 그림에 알맞은 단어를 보기에서 골라 문장을 완성하세요.

**1.** Good _____ .

안녕. (오후 인사)

**2.** Good _____ .

안녕. (저녁 인사)

**3.** Good _____ .

잘 자.

보기
morning  afternoon
evening  night

실력 쑥쑥

**A** 잘 듣고, 알맞은 단어에 동그라미 한 후 우리말 뜻을 쓰세요.

1.

| morning |
|---|
| night |

뜻 _____

2.

| evening |
|---|
| afternoon |

뜻 _____

3.

| day |
|---|
| morning |

뜻 _____

3
주

**B** 그림에 알맞은 단어가 되도록 알파벳을 바르게 배열하여 쓰세요.

1.

r o n g m i n

2.

v i g n e n e

3.

t g n h i

4.

o n e r o t n f a

차곡차곡 복습!

◉ 단어를 듣고, 우리말 뜻을 말해 보세요.

도전!
1회 ☐  2회 ☐  3회 ☐

이분은 우리 이모셔

# This Is My Aunt 단어

♥ 재미있는 이야기로 오늘 배울 단어를 만나 보세요.

3주

## 오늘 배울 단어를 들으며 따라 말해 보세요.

**aunt**
이모, 고모, 숙모

**uncle**
삼촌, 이모부, 고모부

**grandfather**
할아버지

**family**
가족

**friend**
친구

● 찬트 해 보세요.

# 단어 쑥쑥

**A** 잘 듣고, 알맞은 단어를 골라 기호를 쓰세요.

단어
듣기

ⓐ family    ⓑ uncle    ⓒ friend

1.

2.

3.

**B** 그림에 알맞은 단어를 연결하세요.

의미
연결

1.
숙모

family

aunt

grandfather

uncle

2.
삼촌

3.
할아버지

4.
가족

▶정답 16쪽

**C** 그림에 알맞은 단어를 보기 에서 골라 쓰세요.

단어 쓰기

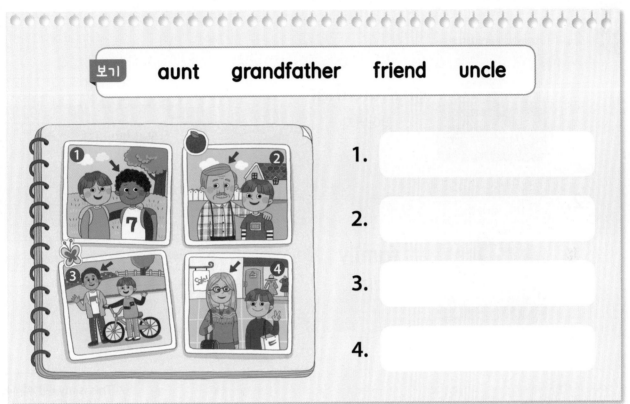

보기   aunt   grandfather   friend   uncle

1.

2.

3.

4.

**D** 잘 듣고, 그림에 알맞은 단어를 완성하세요.

단어 완성

1.

u ☐ c ☐ e

2.

f ☐ i ☐ nd

3.

☐ u ☐ t

## VOCA

# 문장 쑥쑥

**A** 단어를 읽고, 어구를 따라 쓰세요.

어구
쓰기

1.

**grandfather**
할아버지

→ my grandfather

우리 할아버지

2.

**family**
가족

→ my family

우리 가족

'This is my + 관계를 나타내는 말.'은 '이분은 우리 ~셔.'라고 소개하는 표현이에요.

**B** 그림에 알맞은 단어를 보기에서 골라 문장을 완성하세요.

문장
쓰기

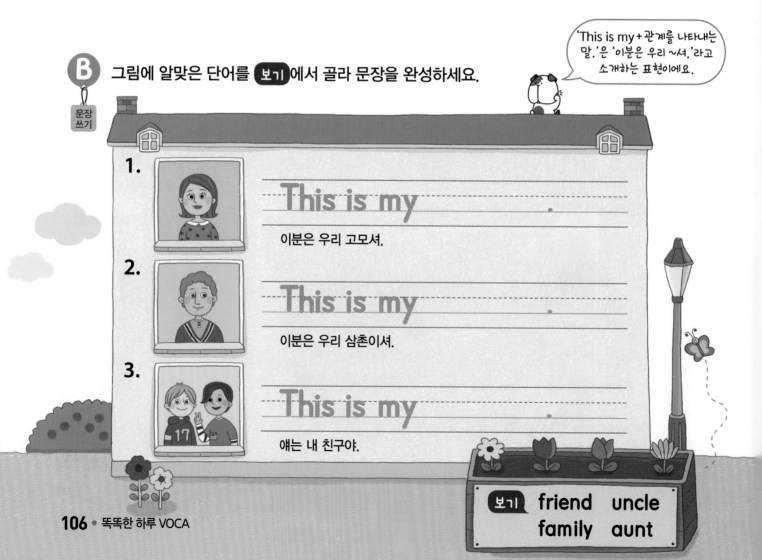

1. This is my _____ .
이분은 우리 고모셔.

2. This is my _____ .
이분은 우리 삼촌이셔.

3. This is my _____ .
얘는 내 친구야.

보기 friend  uncle
family  aunt

106 • 똑똑한 하루 VOCA

**A** 잘 듣고, 알맞은 단어에 동그라미 한 후 우리말 뜻을 쓰세요.

1.
| friend |
| uncle |

뜻 _____

2.
| aunt |
| family |

뜻 _____

3.
| grandfather |
| uncle |

뜻 _____

**3**
주

**B** 그림에 알맞은 단어가 되도록 알파벳을 바르게 배열하여 쓰세요.

1.

m a f l i y

2.

n a u t

3.

i e d n r f

4.

l c n u e

차곡차곡 복습!

● 단어를 듣고, 우리말 뜻을 말해 보세요.

도전!
1회 ☐ 2회 ☐ 3회 ☐

너는 목마르니?

# Are You Thirsty? 단어

💜 **재미있는 이야기로 오늘 배울 단어를 만나 보세요.**

3주

오늘 배울 단어를 들으며 따라 말해 보세요.

**happy**
행복한

**sad**
슬픈

**angry**
화난

**thirsty**
목마른

**hungry**
배고픈

찬트 해 보세요.

# 단어 쑥쑥

**A** 잘 듣고, 알맞은 단어에 동그라미 하세요.

3

**1.**

| angry | thirsty |

**2.**

| sad | happy |

**3.**

| hungry | sad |

**B** 그림에 알맞은 단어와 우리말 뜻을 연결하세요.

**1.**

· sad · 목마른

**2.**

· thirsty · 슬픈

**3.**

· hungry · 배고픈

▶정답 17쪽

**C** 그림에 알맞은 단어를 찾아 동그라미 한 후 빈칸에 쓰세요.

단어
쓰기

tkthirstydcuhappyhetangry

1.

2.

3.

**D** 그림을 보고, 퍼즐을 완성하세요.

단어
완성

# 문장 쑥쑥

▶정답 17쪽

▶정답 17쪽

**A** 단어를 읽고, 문장 속에서 따라 쓰세요.

문장 완성

**1.**

**happy**
행복한

→ **Are you happy?**

너는 행복하니?

**2.**

**hungry**
배고픈

→ **Are you hungry?**

너는 배고프니?

상대방의 감정이나 상태를 물을 때는 'Are you+감정(상태)을 나타내는 말?'로 해요.

**B** 그림에 알맞은 단어를 보기 에서 골라 문장을 완성하세요.

문장 쓰기

**1.** Are you ?

너는 화났니?

**2.** Are you ?

너는 슬프니?

**3.** Are you ?

너는 목마르니?

보기 thirsty   hungry
angry   sad

# 실력 쑥쑥

 **A** 잘 듣고, 알맞은 단어에 동그라미 한 후 우리말 뜻을 쓰세요.

**1.**

| sad |
| --- |
| angry |

뜻 _____

**2.**

| hungry |
| --- |
| happy |

뜻 _____

**3.**

| thirsty |
| --- |
| sad |

뜻 _____

**B** 그림에 알맞은 단어가 되도록 알파벳을 바르게 배열하여 쓰세요.

**1.**

n h g y r u

**2.**

g a y r n

**3.**

y s h t i t r

**4.**

a p y p h

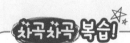 차곡차곡 복습!

◉ 단어를 듣고, 우리말 뜻을 말해 보세요.

도전!
1회 ☐ 2회 ☐ 3회 ☐

이것이 네 손목시계니?

# Is This Your Watch?

단어

💚 재미있는 이야기로 오늘 배울 단어를 만나 보세요.

야구 방망이?
그걸로 뭐 할 건데?

먹을 게 필요하잖아.
야구 방망이로
나무를 쳐서 열매를
떨어뜨릴 거야!

팡 팡

수북~

오, 준이 똑똑한데?

동물 음성
해석 앱
작동~

삐~

얘들아, 큰 flag가 있어야 해.
깃발을 흔들어서 구출해 달라고 해야지!

삐삐삐~

구조선

와, 그렇네.

으쓱~

1

🌟 오늘 배울 단어를 들으며 따라 말해 보세요.

**bat**
야구 방망이

**flag**
깃발

**watch**
손목시계

**mirror**
거울

**umbrella**
우산

2

🎵♪

● 찬트 해 보세요.

# 단어 쑥쑥

**A** 잘 듣고, 알맞은 단어를 골라 기호를 쓰세요.

단어
듣기

ⓐ umbrella   ⓑ flag   ⓒ watch

1.

2.

3.

**B** 그림에 알맞은 단어와 우리말 뜻을 연결하세요.

의미
연결

1. 　·　　　·　mirror　·　　　·　깃발

2. 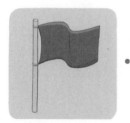　·　　　·　bat　·　　　·　야구 방망이

3. 　·　　　·　flag　·　　　·　거울

**C** 그림에 알맞은 단어를 찾아 동그라미 한 후 빈칸에 쓰세요.

단어
쓰기

tubatkewatchepnumbrellas

1.

2.

3.

**3**
주

**D** 그림을 보고, 퍼즐을 완성하세요.

단어
완성

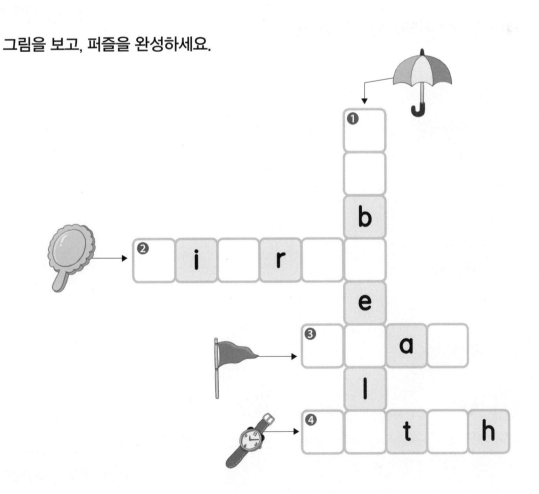

① 

b

② i  r 

e

③   a 

l

④   t  h

# 문장 쑥쑥

▶정답 18쪽

**A** 단어를 읽고, 어구를 따라 쓰세요.

어구
쓰기

**1.**

**bat**
야구 방망이

→ your bat
네 야구 방망이

**2.**

**mirror**
거울

→ your mirror
네 거울

이것이 상대방의 물건인지
물을 때는 'Is this your+
물건 이름?'으로 해요.

**B** 그림에 알맞은 단어를 보기 에서 골라 문장을 완성하세요.

문장
쓰기

**1.**

Is this your ?
이것이 네 깃발이니?

**2.**
Is this your ?
이것이 네 손목시계니?

**3.**

Is this your ?
이것이 네 우산이니?

보기 mirror    flag
umbrella    watch

실력 쑥쑥

**A** 잘 듣고, 알맞은 단어에 동그라미 한 후 우리말 뜻을 쓰세요.

1.

| watch |
|:---:|
| flag |

뜻 _____

2.

| bat |
|:---:|
| mirror |

뜻 _____

3.

| flag |
|:---:|
| umbrella |

뜻 _____

**B** 그림에 알맞은 단어가 되도록 알파벳을 바르게 배열하여 쓰세요.

1.

c t h a w

2.

e l a b l m u r

3.

i r o r m r

4.

g a l f

차곡차곡 복습!

● 단어를 듣고, 우리말 뜻을 말해 보세요.

| 도전! | | |
|:---:|:---:|:---:|
| 1회 ☐ | 2회 ☐ | 3회 ☐ |

우유 좀 마실래?

단어

# Do You Want Some Milk?

♥ 재미있는 이야기로 오늘 배울 단어를 만나 보세요.

**3**
주

😊 오늘 배울 단어를 들으며 따라 말해 보세요.

### soup
수프

### milk
우유

### fruit
과일

### apple pie
애플파이

### ice cream
아이스크림

● 찬트 해 보세요.

# 단어 쑥쑥

단어 듣기

**A** 잘 듣고, 알맞은 단어에 동그라미 하세요.

**1.**

milk    soup

**2.**

fruit    apple pie

**3.**

ice cream    fruit

**B** 그림에 알맞은 단어를 연결하세요.

의미
연결

**1.**

우유

milk

apple pie

ice cream

fruit

**2.**

과일

**3.**

애플파이

**4.**

아이스크림

▶정답 19쪽

**C** 그림에 알맞은 단어를 보기에서 골라 쓰세요.

보기    soup    fruit    apple pie    ice cream

1. 

2. 

3. 

4. 

**D** 잘 듣고, 그림에 알맞은 단어를 완성하세요.

1.

2.

3.

f r ☐ ☐ ☐

☐ i ☐ k

s ☐ ☐ ☐

**A** 단어를 읽고, 어구를 따라 쓰세요.
어구
쓰기

**1.**

fruit
과일
→ some fruit
약간의 과일

**2.**

ice cream
아이스크림
→ some ice cream
약간의 아이스크림

'Do you want some+음식 이름?'은 상대방에게 어떤 음식을 먹을 건지 묻는 표현이에요.

**B** 그림에 알맞은 단어를 보기 에서 골라 문장을 완성하세요.
문장
쓰기

**1.**

Do you want some                    ?
수프 좀 먹을래?

**2.**

Do you want some                    ?
애플파이 좀 먹을래?

**3.**

Do you want some                    ?
우유 좀 마실래?

보기
milk   apple pie
soup   ice cream

**A** 잘 듣고, 알맞은 단어에 동그라미 한 후 우리말 뜻을 쓰세요.

1.
fruit

apple pie

뜻 _____

2.
milk

ice cream

뜻 _____

3.
apple pie

soup

뜻 _____

3
주

**B** 그림에 알맞은 단어가 되도록 알파벳을 바르게 배열하여 쓰세요.

1.

i l m k

_____

2.

u s o p

_____

3.

c i e a m r c e

_____

4.

u i r t f

_____

차곡차곡 복습!

◉ 단어를 듣고, 우리말 뜻을 말해 보세요.

도전!
1회 ☐ 2회 ☐ 3회 ☐

배운 내용을 떠올리며 말판 놀이를 해 보세요.

START

1. 그림을 보고 알맞은 단어에 동그라미 하세요.

happy

angry

12. 그림에 알맞은 단어를 완성하세요.

__i__r__r

11. 그림과 단어가 일치하면 ○표, 일치하지 않으면 ×표 하세요.

umbrella

10. 단어를 읽고 알맞은 우리말 뜻과 연결하세요.

milk · · 우유

fruit · · 과일

FINISH

9. 그림을 보고 알파벳을 바르게 배열하여 단어를 쓰세요.

irfedn

→ _____

8. 단어를 읽고 알맞은 그림에 동그라미 하세요.

hungry

정답 20쪽

2. 단어를 읽고 알맞은 그림에
   동그라미 하세요.

grandfather

3. 그림을 보고 알파벳을 바르게
   배열하여 단어를 쓰세요.

rtihsyt

→ _____

13. 그림을 보고 알맞은 단어에
   동그라미 하세요.

soup

milk

4. 단어를 읽고 알맞은 우리말 뜻과
   연결하세요.

morning  ·            · 저녁

evening  ·            · 아침

14. 단어를 읽고 알맞은 우리말 뜻과
   연결하세요.

aunt  ·            · 삼촌

uncle  ·           · 이모

5. 그림과 단어가 일치하면 ○ 표,
   일치하지 않으면 × 표 하세요.

afternoon

. 그림을 보고 알맞은 단어에 동그라미
  하세요.

ice cream

apple pie

6. 그림에 알맞은 단어를 완성하세요.

__a__il__

**A** 벌집에 적힌 알파벳을 어떤 규칙에 따라 배열하면 단어가 만들어져요. 단서 를 보고, 규칙을 찾아 단어를 쓰세요.

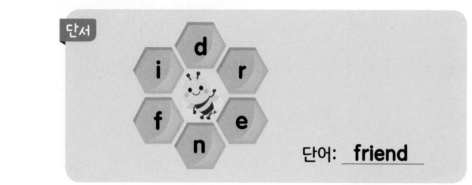

단어: **friend**

**1.**

단어: _____

**2.**

단어: _____

**B** 단서 를 보고, 단어가 배열된 규칙을 찾은 후 보기 에서 알맞은 단어를 골라 쓰세요.

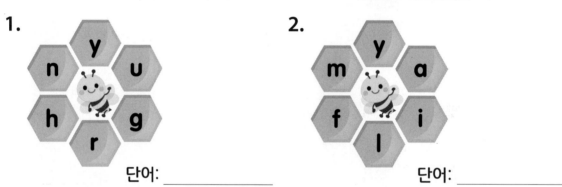

단서

ice cream
↓
morning
↓
grandfather

보기

| evening | night |
| umbrella | thirsty |

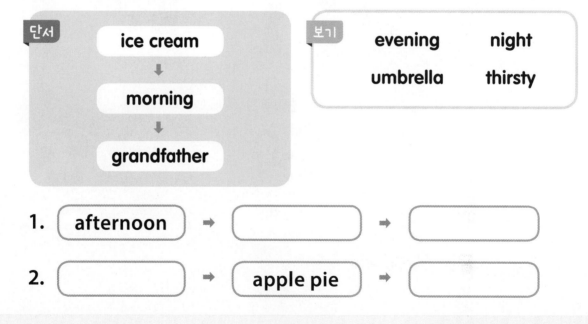

**1.** afternoon ➡ _____ ➡ _____

**2.** _____ ➡ apple pie ➡ _____

**C** 현우의 방은 정리를 하지 않아 엉망이에요. 결국 보기 의 물건 중 하나를 찾지 못했어요.
숨은그림찾기를 하며 현우가 찾지 못한 물건이 무엇인지 우리말로 쓰세요.

| 보기 | bat | flag | watch | mirror | umbrella |

찾지 못한 물건:

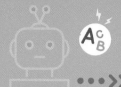

**D** 주스 병에 알파벳이 빠졌어요. 단서 를 읽고, 알파벳을 꺼내 단어를 쓰세요.

> 단서  1. 각 병에 있는 알파벳을 배열하여 단어를 쓰세요.
>
> 2. 각 단어에는 두 번 쓰이는 알파벳이 하나씩 있어요.

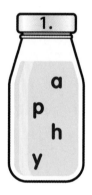

1. _____

2. _____

3. _____

**E** 주사위의 각 면은 어떤 알파벳을 나타내요. 단서 와 힌트 를 보고, 주사위를 던져 나온 단어를 만드세요.

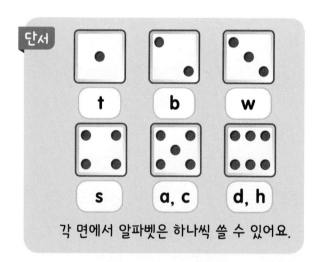

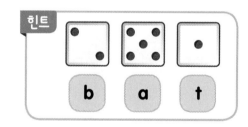

1.

2.

**F** 나비가 날개를 접었다 폈더니 오른쪽 날개에 있던 단어가 왼쪽 날개에 묻었어요. 힌트 를 보고, 어떤 단어인지 쓰세요.

힌트

1.

2.

3.

**1** 단어에 알맞은 그림을 고르세요.

afternoon

①
②
③
④

**2** 그림에 알맞은 단어를 고르세요.

① happy   ② hungry
③ thirsty   ④ sad

**3** 그림에 없는 단어를 고르세요.

① ice cream   ② fruit
③ soup        ④ milk

**4** 그림과 단어가 일치하지 않는 것을 고르세요.

①
grandfather

②
uncle

③
family

④
friend

**5** 그림에 알맞은 단어를 보기에서 골라 기호를 쓰세요.

보기 ⓐ happy ⓑ sad ⓒ angry

(1)

(2)

**6** 그림을 보고 문장의 빈칸에 알맞은 단어를 고르세요.

Is this your _____?

① bat  ② mirror

③ watch  ④ umbrella

**7** 그림에 알맞은 단어를 골라 쓰세요.

(uncle / aunt)

**8** 그림에 알맞은 단어가 되도록 알파벳을 바르게 배열하여 쓰세요.

(1) _____

(g i r m n o n)

(2) _____

(t h n g i)

# 이번 주에는 무엇을 공부할까? ①

💜 재미있는 이야기로 이번 주에 공부할 내용을 알아보세요.

**1**일 **Where Is My Glue Stick?** 사물

**2**일 **It's Under the Desk** 위치

**3**일 **I'm Eleven Years Old** 숫자

**4**일 **It's Two Forty** 숫자

**5**일 **It's Time for School** 일과

4주차
공부할 내용

◉ 여러분의 나이를 나타내는 숫자에 동그라미 해 보세요.

**eleven**

**twelve**

**thirteen**

**fourteen**

**fifteen**

**B**

◉ 하루 중 여러분이 가장 좋아하는 때는 언제인지 동그라미 해 보세요.

**breakfast**

**lunch**

**dinner**

**school**

**bed**

내 딱풀이 어디 있어?

# Where Is My Glue Stick?

단어

♥ 재미있는 이야기로 오늘 배울 단어를 만나 보세요.

❄ 오늘 배울 단어를 들으며 따라 말해 보세요.

**paper**
종이

**robot**
로봇

**tape**
테이프

**fork**
포크

**glue stick**
딱풀

● 찬트 해 보세요.

# 단어 쑥쑥

**A**  잘 듣고, 알맞은 단어를 골라 기호를 쓰세요.

ⓐ tape　　ⓑ paper　　ⓒ glue stick

1.

2.

3.

**B**  그림에 알맞은 단어와 우리말 뜻을 연결하세요.

1. 　　　　•　　fork　　•　　로봇

2. 　　　　•　　glue stick　　•　　포크

3. 　　　　•　　robot　　•　　딱풀

▶정답 22쪽

**C** 그림에 알맞은 단어를 찾아 동그라미 한 후 빈칸에 쓰세요.

단어
쓰기

s t a p e k e l p a p e r d i r o b o t l e n

1.

2.

3.

4
주

**D** 그림을 보고, 퍼즐을 완성하세요.

단어
완성

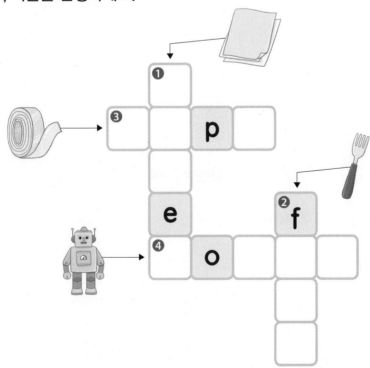

# 문장 쑥쑥

**A** 단어를 읽고, 어구를 따라 쓰세요.

어구
쓰기

**1.**

**robot**
로봇

→ my robot

내 로봇

**2.**

**fork**
포크

→ my fork

내 포크

'Where is my+물건 이름?'은
자신의 물건이 어디 있는지
묻는 표현이에요.

**B** 그림에 알맞은 단어를 보기 에서 골라 문장을 완성하세요.

문장
쓰기

**1.**

Where is my ?

내 종이가 어디 있어?

**2.**

Where is my ?

내 딱풀이 어디 있어?

**3.**

Where is my ?

내 테이프가 어디 있어?

보기
tape    glue stick
robot   paper

**A** 잘 듣고, 알맞은 단어에 동그라미 한 후 우리말 뜻을 쓰세요.

1.

paper

tape

뜻 ＿＿＿＿＿＿＿＿

2.

fork

robot

뜻 ＿＿＿＿＿＿＿＿

3.

glue stick

tape

뜻 ＿＿＿＿＿＿＿＿

4
주

**B** 그림에 알맞은 단어가 되도록 알파벳을 바르게 배열하여 쓰세요.

1.

r e a p p

2.

o t b o r

3.

r k o f

4.

a e p t

차곡차곡 복습!

● 단어를 듣고, 우리말 뜻을 말해 보세요.

도전!
1회 ☐ 2회 ☐ 3회 ☐

그것은 책상 아래에 있어

# It's Under the Desk
단어

💙 **재미있는 이야기로 오늘 배울 단어를 만나 보세요.**

※ 오늘 배울 단어를 들으며 따라 말해 보세요.

**in**
~ 안에

**on**
~ 위에

**under**
~ 아래에

**desk**
책상

**hat**
모자

● 찬트 해 보세요.

# 단어 쑥쑥

 **A** 잘 듣고, 알맞은 단어에 동그라미 하세요.

**1.**

under　　in

**2.**

on　　in

**3.**

on　　under

 **B** 그림에 알맞은 단어를 연결하세요.

**1.**

책상

hat

on

desk

in

**2.**

～ 위에

**3.**

모자

**4.**

～ 안에

**C** 그림에 알맞은 단어를 보기 에서 골라 쓰세요.

단어
쓰기

보기    **in     on     under     hat**

1. 

2. 

3. 

4. 

**4**
주

**D** 잘 듣고, 그림에 알맞은 단어를 완성하세요.

단어
완성

4

1.

h ☐ ☐

2.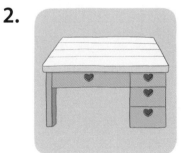

☐ e ☐ k

3.

u ☐ d ☐ r

# 문장 쑥쑥

▶ 정답 23쪽

 **A** 단어를 읽고, 어구를 따라 쓰세요.

어구
쓰기

**1.**

**hat**
모자

→ in the hat

모자 안에

**2.**

**desk**
책상

→ on the desk

책상 위에

---

'It's + 위치를 나타내는 말 + 물건 이름.'은 '그것은 ~에 있어.' 라는 뜻이에요.

**B** 그림에 알맞은 단어를 보기 에서 골라 문장을 완성하세요.

문장
쓰기

**1.**

It's ____ the desk.

그것은 책상 아래에 있어.

**2.**

It's ____ the desk.

그것은 책상 위에 있어.

**3.**

It's ____ the hat.

그것은 모자 안에 있어.

보기
on    under
in    hat

복습

# 실력 쑥쑥

▶정답 23쪽

**A**  잘 듣고, 알맞은 단어에 동그라미 한 후 우리말 뜻을 쓰세요.

**1.**

| in |
| --- |
| on |

뜻 _____

**2.**

| hat |
| --- |
| desk |

뜻 _____

**3.**

| under |
| --- |
| in |

뜻 _____

**4**
주

**B** 그림에 알맞은 단어가 되도록 알파벳을 바르게 배열하여 쓰세요.

**1.**

a t h

**2.**

e d k s

**3.**

n i

**4.**

e u r n d

 차곡차곡 복습!

◉ 단어를 듣고, 우리말 뜻을 말해 보세요.

| 도전! | | |
| --- | --- | --- |
| 1회 ☐ | 2회 ☐ | 3회 ☐ |

나는 11살이야

단어

# I'm Eleven Years Old

💜 재미있는 이야기로 오늘 배울 단어를 만나 보세요.

✳ 오늘 배울 단어를 들으며 따라 말해 보세요.

**eleven**
열하나, 11

**twelve**
열둘, 12

**thirteen**
열셋, 13

**fourteen**
열넷, 14

**fifteen**
열다섯, 15

● 찬트 해 보세요.

# 3일 VOCA

## 단어 쑥쑥

**A** 잘 듣고, 알맞은 단어를 골라 기호를 쓰세요.

단어
듣기

**ⓐ twelve**　　**ⓑ thirteen**　　**ⓒ eleven**

1.

2.

3.

**B** 그림에 알맞은 단어를 연결하세요.

의미
연결

1.

열넷, 14

2.

열둘, 12

· **fifteen** ·

· **twelve** ·

· **fourteen** ·

· **thirteen** ·

3.

열다섯, 15

4.

열셋, 13

그림에 알맞은 단어를 보기 에서 골라 쓰세요.

단어
쓰기

보기  **fifteen   twelve   thirteen   fourteen**

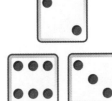

1.

2.

3.

4.

 잘 듣고, 그림에 알맞은 단어를 완성하세요.

단어
완성

1.

e ⬚ ev ⬚ n

2.

if ⬚ ee ⬚

3.

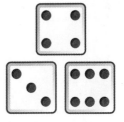

t ⬚ i ⬚ tee ⬚

# 문장 쑥쑥

▶정답 24쪽

**A**  단어를 읽고, 어구를 따라 쓰세요.

**1.**

**fourteen**
열넷, 14

→ fourteen years old
열네 살

**2.**

**fifteen**
열다섯, 15

→ fifteen years old
열다섯 살

**B** 그림에 알맞은 단어를 보기 에서 골라 문장을 완성하세요.

> 자신의 나이를 말할 때는 'I'm+숫자+years old.'로 해요.

**1.**
11

I'm _____ years old.
나는 열한 살이야.

**2.**
12

I'm _____ years old.
나는 열두 살이야.

**3.**
13

I'm _____ years old.
나는 열세 살이야.

보기
thirteen   fifteen
twelve   eleven

**복습**

# 실력 쑥쑥

▶ 정답 24쪽

**A** 잘 듣고, 알맞은 단어에 동그라미 한 후 우리말 뜻을 쓰세요.

1.
eleven
fourteen

뜻 _____

2.
thirteen
twelve

뜻 _____

3.
eleven
fifteen

뜻 _____

**4주**

**B** 그림에 알맞은 단어가 되도록 알파벳을 바르게 배열하여 쓰세요.

1.
etefuonr

2.
tetirhen

3.
eltwev

4.
evelne

**차곡차곡 복습!**

● 단어를 듣고, 우리말 뜻을 말해 보세요.

도전!
1회 ☐  2회 ☐  3회 ☐

# It's Two Forty

단어

💜 **재미있는 이야기로 오늘 배울 단어를 만나 보세요.**

❄ 오늘 배울 단어를 들으며 따라 말해 보세요.

twenty
이십, 20

thirty
삼십, 30

forty
사십, 40

fifty
오십, 50

o'clock
~시(정각)

● 찬트 해 보세요.

# 단어 쑥쑥

 **A** 잘 듣고, 알맞은 단어에 동그라미 하세요.

단어
듣기

**1.**

thirty　forty

**2.**

fifty　twenty

**3.**

forty　o'clock

 **B** 그림에 알맞은 단어와 우리말 뜻을 연결하세요.

의미
연결

**1.**  ·

· twenty ·

· 이십, 20

**2.**  ·

· o'clock ·

· 삼십, 30

**3.**  ·

· thirty ·

· ~시(정각)

**C** 그림에 알맞은 단어를 찾아 동그라미 한 후 빈칸에 쓰세요.

단어
쓰기

s p t h i r t y k e l f o r t y l d k f i f t y d l e

1.

2.

3.

**D** 그림을 보고, 퍼즐을 완성하세요.

단어
완성

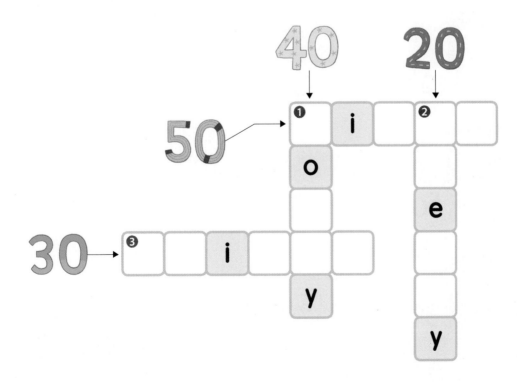

**A** 단어를 읽고, 문장 속에서 따라 쓰세요.

문장 완성

**1.**

 **fifty**
오십, 50

→ **It's two fifty.**

2시 50분이야.

**2.**

**twenty**
이십, 20

→ **It's two twenty.**

2시 20분이야.

**B** 그림에 알맞은 단어를 보기에서 골라 문장을 완성하세요.

문장 쓰기

시각을 말할 때는
'It's+시+분.'으로 해요.

**1.** 40

**It's three**

3시 40분이야.

**2.** 50

**It's six**

6시 50분이야.

**3.** 30

**It's nine**

9시 30분이야.

보기
thirty   fifty
forty   twenty

A 잘 듣고, 알맞은 단어에 동그라미 한 후 우리말 뜻을 쓰세요.

1.
o'clock

fifty

뜻 _____

2.
thirty

twenty

뜻 _____

3.
forty

fifty

뜻 _____

B 그림에 알맞은 단어가 되도록 알파벳을 바르게 배열하여 쓰세요.

1.
20 w t e y t n

2.
30 y t r t i h

3.
40 y o t r f

4.
50 t y i f f

차곡차곡 복습!

● 단어를 듣고, 우리말 뜻을 말해 보세요.

도전!
1회 ☐ 2회 ☐ 3회 ☐

학교 갈 시간이야

# It's Time for School 단어

💗 **재미있는 이야기로 오늘 배울 단어를 만나 보세요.**

4주

❋ 오늘 배울 단어를 들으며 따라 말해 보세요.

**breakfast**
아침 식사

**lunch**
점심 식사

**dinner**
저녁 식사

**school**
학교

**bed**
침대

● 찬트 해 보세요.

# 단어 쑥쑥

**A** 잘 듣고, 알맞은 단어를 골라 기호를 쓰세요.

@ bed   ⓑ school   ⓒ breakfast

1.

2.

3.

**B** 그림에 알맞은 단어를 연결하세요.

1.

점심 식사

bed

lunch

school

dinner

2.

학교

3.

저녁 식사

4.

침대

**C** 그림에 알맞은 단어를 보기 에서 골라 쓰세요.

단어
쓰기

보기  school  dinner  breakfast  bed

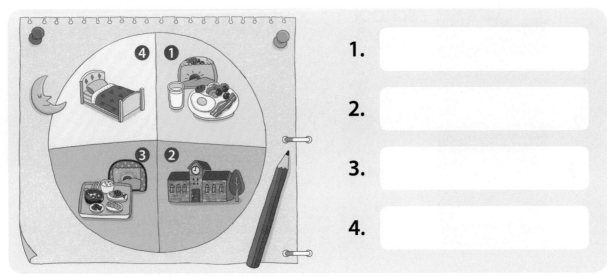

1. 

2. 

3. 

4. 

4
주

 **D** 잘 듣고, 그림에 알맞은 단어를 완성하세요.

단어
완성

1.

b  eak  as

2.

i  n  r

3.

l  n  h

# 문장 쑥쑥

▶정답 26쪽

**A** 단어를 읽고, 어구를 따라 쓰세요.

어구
쓰기

**1.**

**school**
학교

→ time for school

학교 갈 시간

**2.**

**bed**
침대

→ time for bed

자러 갈 시간

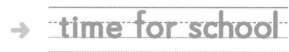
It's time for ~.는
'~할 시간이야.'라는 뜻이에요.

**B** 그림에 알맞은 단어를 보기 에서 골라 문장을 완성하세요.

문장
쓰기

**1.** It's time for                    .

아침 식사 할 시간이야.

**2.** It's time for                    .

점심 식사 할 시간이야.

**3.** It's time for                    .

저녁 식사 할 시간이야.

보기
school    lunch
dinner    breakfast

복습 **실력 쑥쑥**

▶정답 26쪽

**A** 잘 듣고, 알맞은 단어에 동그라미 한 후 우리말 뜻을 쓰세요.

1.
breakfast
dinner

뜻 _____

2.
school
lunch

뜻 _____

3.
bed
breakfast

뜻 _____

**B** 그림에 알맞은 단어가 되도록 알파벳을 바르게 배열하여 쓰세요.

1.

o l s o h c

2.

a b s r t a k e f

3.

n e d n i r

4.

c l n u h

**차곡차곡 복습!**

● 단어를 듣고, 우리말 뜻을 말해 보세요.

도전!
1회 ☐  2회 ☐  3회 ☐

배운 내용을 떠올리며 말판 놀이를 해보세요.

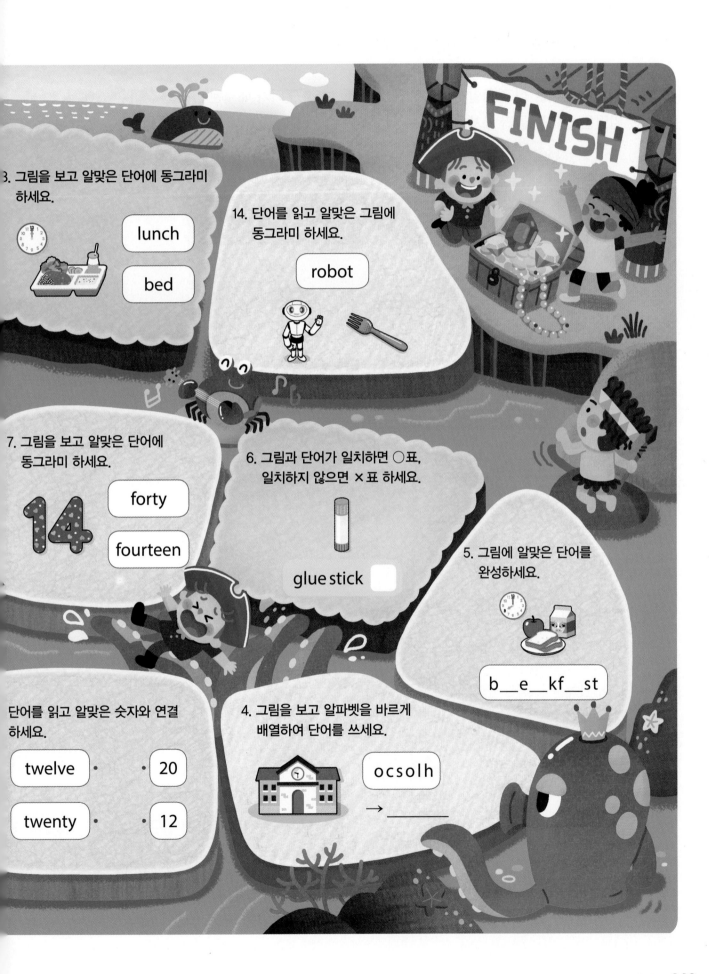

3. 그림을 보고 알맞은 단어에 동그라미 하세요.

lunch

bed

14. 단어를 읽고 알맞은 그림에 동그라미 하세요.

robot

7. 그림을 보고 알맞은 단어에 동그라미 하세요.

forty

fourteen

6. 그림과 단어가 일치하면 ○표, 일치하지 않으면 ×표 하세요.

glue stick

5. 그림에 알맞은 단어를 완성하세요.

b__e__kf__st

단어를 읽고 알맞은 숫자와 연결 하세요.

twelve ·          · 20

twenty ·          · 12

4. 그림을 보고 알파벳을 바르게 배열하여 단어를 쓰세요.

ocsolh

→ _____

**A** 기차가 단어를 싣고 출발하려고 해요. 단서 를 보고, 단어가 배열된 규칙을 찾아 보기 에서 알맞은 단어를 골라 쓰세요.

단서

in   hat   fork

보기   twenty   tape   paper   bed

1.   forty

2.   desk

**B** 다음 표에는 알파벳 대문자가 숨겨져 있어요. 그림과 단어가 일치하는 칸에 색칠하여 숨겨진 알파벳 대문자를 찾아 쓰세요.

| | | |
|---|---|---|
| bed | tape | robot |
| paper | desk | under |
| fork | on | school |

숨겨진 알파벳 대문자

C 로봇이 말하는 단어 순서대로 숫자를 따라가며 미로를 빠져나가 보세요.

thirteen → twenty → fourteen → fifty → eleven → thirty → fifteen → forty → twelve → twenty

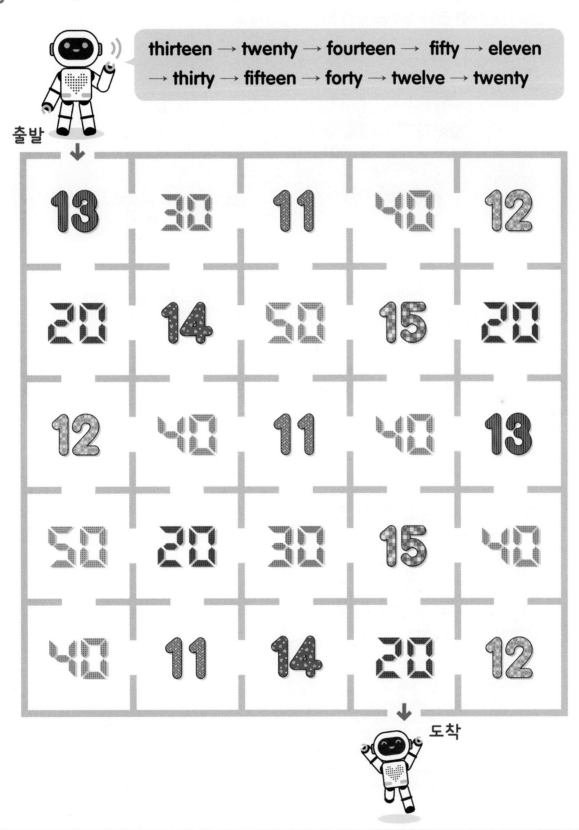

D 단어의 알파벳 몇 개가 숨어 버렸어요. 단서 를 보고, 단어를 완성한 후 색이 있는 칸의 알파벳을 모아 알파벳이 숨은 장소를 완성하세요.

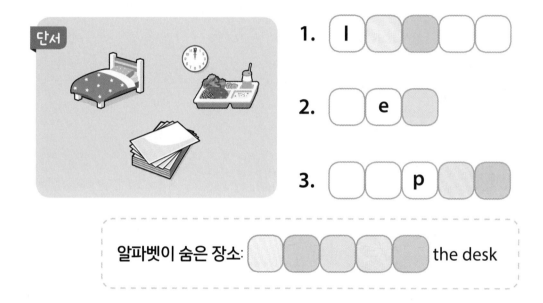

단서

1. l ☐ ☐ ☐ ☐

2. ☐ e ☐

3. ☐ ☐ p ☐ ☐

알파벳이 숨은 장소: ☐ ☐ ☐ ☐ ☐ the desk

E 민아가 만든 세 가지 맛 피자에 어울리지 않는 단어 토핑이 하나씩 잘못 들어갔어요. 어떤 단어인지 찾아 쓰고, 그 단어가 어울리는 피자 조각의 번호를 쓰세요.

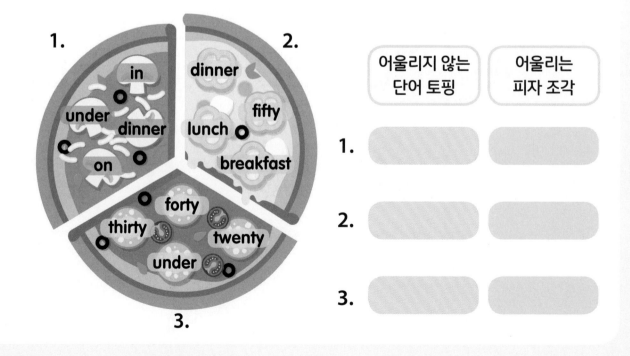

| 어울리지 않는 단어 토핑 | 어울리는 피자 조각 |
| --- | --- |
| 1. | |
| 2. | |
| 3. | |

**F** 토끼가 어떤 규칙에 따라 돌아다니고 있어요. 규칙을 찾아 토끼가 있는 장소를 그리고 어구를 쓰세요.

**1.**

| on the hat | in the hat | on the hat | in the hat | ? |

**2.**

| under the desk | on the desk | ? | on the desk | under the desk |

**3.**

| under the hat | ? | under the hat | in the hat | under the hat |

**1.** _____  **2.** _____  **3.** _____

# 4주 누구나 100점 TEST

**1** 단어에 알맞은 그림을 고르세요.

**paper**

①

②

③

④

**2** 그림에 알맞은 단어를 고르세요.

① twenty  ② thirty

③ fifty  ④ forty

**3** 그림에 <u>없는</u> 숫자를 고르세요.

① eleven  ② thirteen

③ fourteen  ④ fifteen

**4** 그림과 단어가 일치하지 <u>않는</u> 것을 고르세요.

①

②

on  under

③

④

in  desk

**5** 그림에 알맞은 단어를 보기 에서 골라 기호를 쓰세요.

보기 ⓐ fifty ⓑ forty ⓒ o'clock

(1)

(2)

**6** 그림을 보고 문장의 빈칸에 알맞은 단어를 고르세요.

**Where is my _____?**

① robot   ② glue stick

③ fork   ④ tape

**7** 그림에 알맞은 단어를 골라 쓰세요.

(breakfast / school)

**8** 그림에 알맞은 단어가 되도록 알파벳을 바르게 배열하여 쓰세요.

(1)

(e d b)

(2)

(n r d i e n)

**1주 1일**

| | |
|---|---|
| bake ☐ | cake ☐ |
| game ☐ | name ☐ |
| cape ☐ | tape ☐ |

**1주 2일**

| | |
|---|---|
| bike ☐ | like ☐ |
| line ☐ | pine ☐ |
| dive ☐ | five ☐ |

**1주 3일**

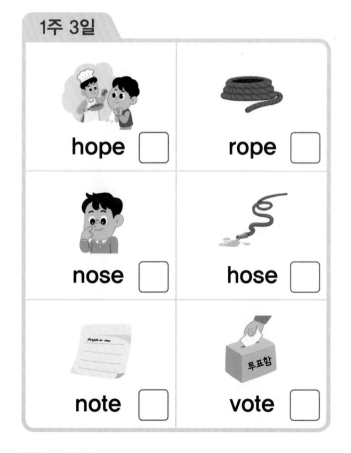

| | |
|---|---|
| hope ☐ | rope ☐ |
| nose ☐ | hose ☐ |
| note ☐ | vote ☐ |

**1주 4일**

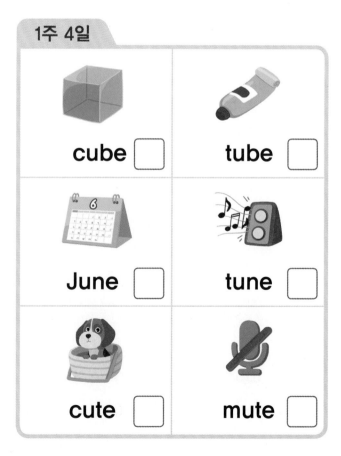

| | |
|---|---|
| cube ☐ | tube ☐ |
| June ☐ | tune ☐ |
| cute ☐ | mute ☐ |

## 2주 1일

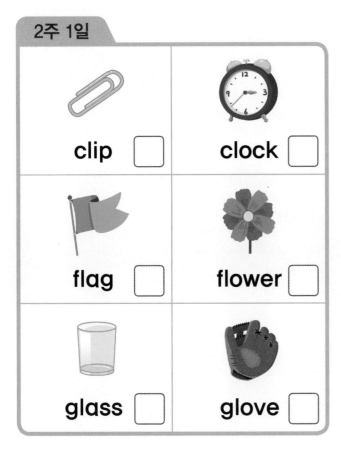

| | |
|---|---|
| clip ☐ | clock ☐ |
| flag ☐ | flower ☐ |
| glass ☐ | glove ☐ |

## 2주 2일

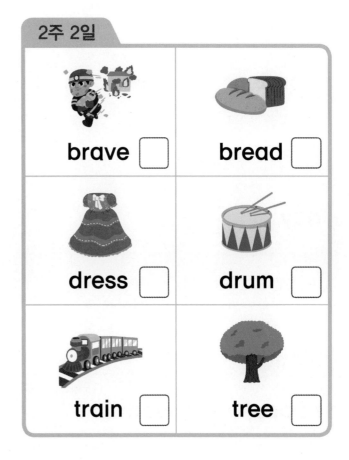

| | |
|---|---|
| brave ☐ | bread ☐ |
| dress ☐ | drum ☐ |
| train ☐ | tree ☐ |

## 2주 3일

| | |
|---|---|
| skate ☐ | ski ☐ |
| star ☐ | stove ☐ |
| sweet ☐ | swim ☐ |

## 2주 4일

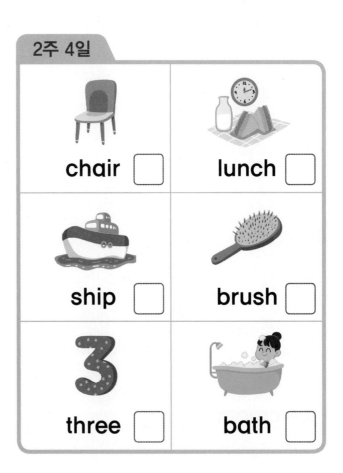

| | |
|---|---|
| chair ☐ | lunch ☐ |
| ship ☐ | brush ☐ |
| three ☐ | bath ☐ |

단어를 읽은 후 뜻을 기억하고 있는 것에 ✓표 해 보세요.

### 3주 1일

| morning ☐ | afternoon ☐ |
| --- | --- |
| evening ☐ | night ☐ |
| day ☐ | |

### 3주 2일

| aunt ☐ | uncle ☐ |
| --- | --- |
| grandfather ☐ | family ☐ |
| friend ☐ | |

### 3주 3일

| happy ☐ | sad ☐ |
| --- | --- |
| angry ☐ | thirsty ☐ |
| hungry ☐ | |

### 3주 4일

| bat ☐ | flag ☐ |
| --- | --- |
| watch ☐ | mirror ☐ |
| umbrella ☐ | |

### 3주 5일

| soup ☐ | milk ☐ |
| --- | --- |
| fruit ☐ | apple pie ☐ |
| ice cream ☐ | |

## 4주 1일

| | | | |
|---|---|---|---|
| paper | ☐ | robot | ☐ |
| tape | ☐ | fork | ☐ |
| glue stick | ☐ | | |

## 4주 2일

| | | | |
|---|---|---|---|
| in | ☐ | on | ☐ |
| under | ☐ | desk | ☐ |
| hat | ☐ | | |

## 4주 3일

| | | | |
|---|---|---|---|
| eleven | ☐ | twelve | ☐ |
| thirteen | ☐ | fourteen | ☐ |
| fifteen | ☐ | | |

## 4주 4일

| | | | |
|---|---|---|---|
| twenty | ☐ | thirty | ☐ |
| forty | ☐ | fifty | ☐ |
| o'clock | ☐ | | |

## 4주 5일

| | | | |
|---|---|---|---|
| breakfast | ☐ | lunch | ☐ |
| dinner | ☐ | school | ☐ |
| bed | ☐ | | |

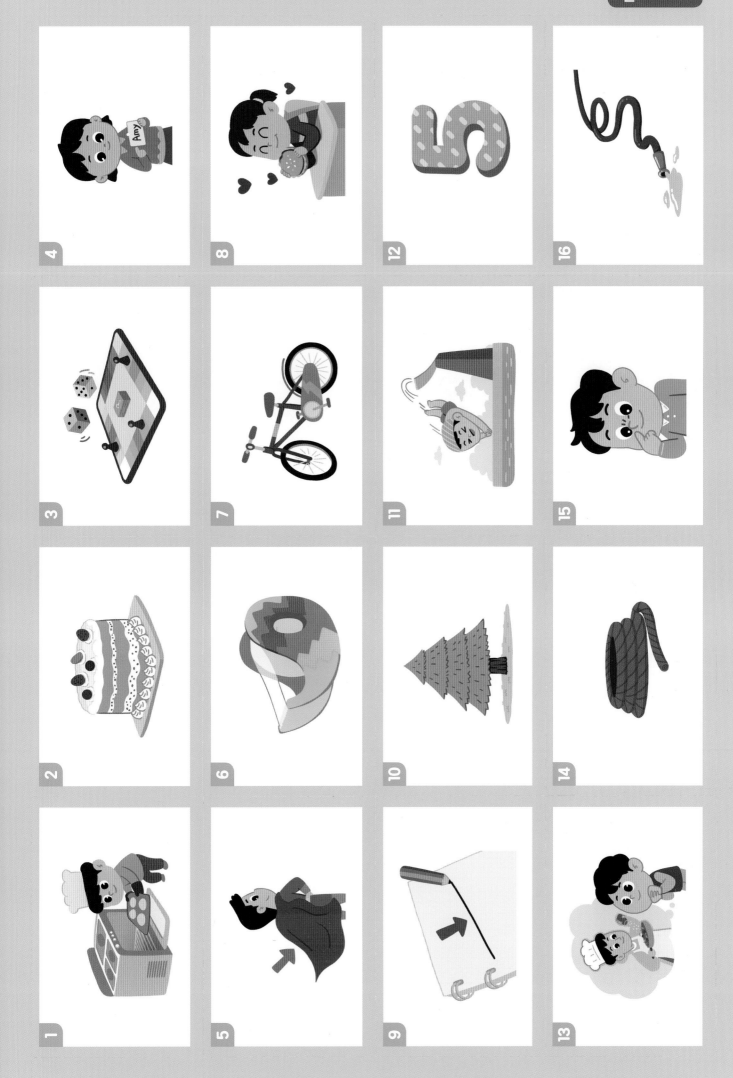

| | | | |
|---|---|---|---|
| name | like | five | hose |
| game | bike | dive | nose |
| cake | tape | pine | rope |
| bake | cape | line | hope |

| tube | mute | flower | bread |
|------|------|--------|-------|
| cube | cute | flag | brave |
| vote | tune | clock | glove |
| note | June | clip | glass |

단어 카드

| | | | |
|---|---|---|---|
| bath | lunch | stove | tree |
| three | chair | star | train |
| brush | swim | ski | drum |
| ship | sweet | skate | dress |

| night | grandfather | sad | bat |
|-------|-------------|-----|-----|
| evening | uncle | happy | hungry |
| afternoon | aunt | friend | thirsty |
| morning | day | family | angry |

| | | | |
|---|---|---|---|
| soup | ice cream | glue stick | desk |
| umbrella | apple pie | fork | under |
| mirror | fruit | robot | on |
| watch | milk | paper | in |

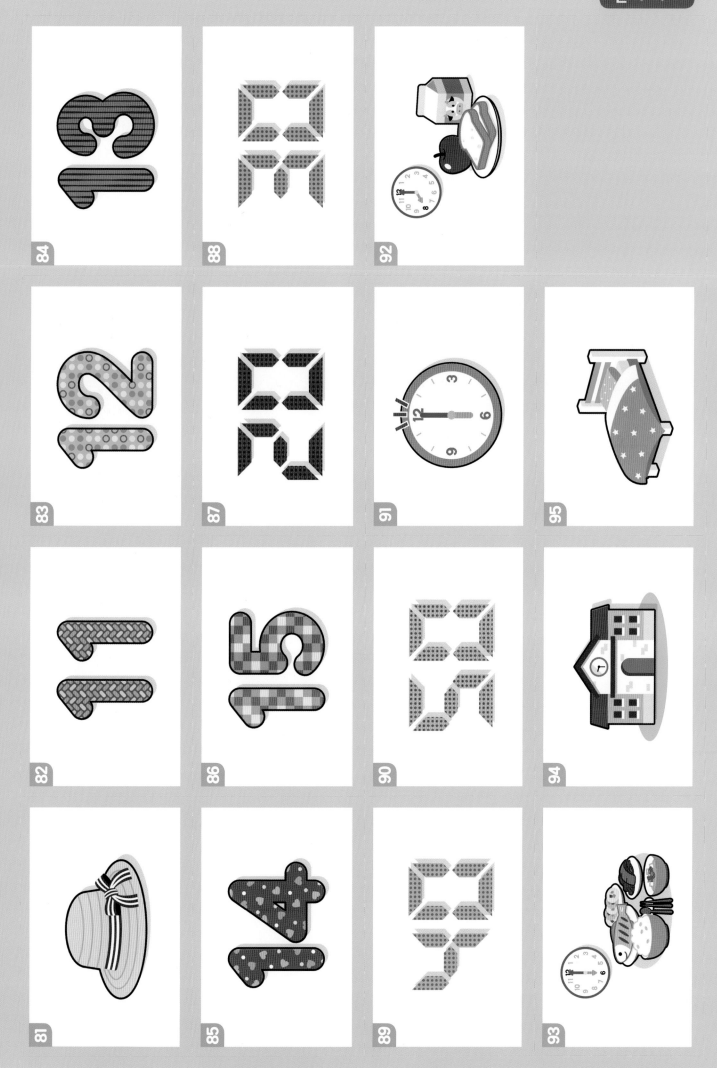

| | | | |
|---|---|---|---|
| thirteen | thirty | breakfast | |
| twelve | twenty | o'clock | bed |
| eleven | fifteen | fifty | school |
| hat | fourteen | forty | dinner |

영어 알파벳 중에서 가장 위대한 세 철자는
N, O, W
곧 지금(NOW)이다.

The three greatest English alphabets are N, O, W,
which means now.

**월터 스콧**

언젠가는 해야지, 언젠가는 달라질 거야!
'언젠가는'이라는 말에 자신의 미래를 맡기지 마세요.
해야 할 일, 하고 싶은 일은 지금 당장 실행에 옮기세요.
가장 중요한 건 과거도 미래도 아닌 바로 지금이니까요.

### ⚒ 쉽다!

10분이면 하루 치 공부를 마칠 수 있는 커리큘럼으로,
아이들이 초등 학습에 쉽고 재미있게 접근할 수 있도록 구성하였습니다.

### 🧩 재미있다!

교과서는 물론 생활 속에서 쉽게 접할 수 있는 다양한 소재와
재미있는 게임 형식의 문제로 흥미로운 학습이 가능합니다.

### 📖 똑똑하다!

초등학생에게 꼭 필요한 학습 지식 습득은 물론
창의력 확장까지 가능한 교재로 올바른 공부습관을 가지는 데 도움을 줍니다.

똑똑한
# 하루
# VOCA

매일매일
쌓이는
영어 기초력

# 정답

Yeah!

## 2 A
4학년 영어

파닉스 + 단어

천재교육

book.chunjae.co.kr

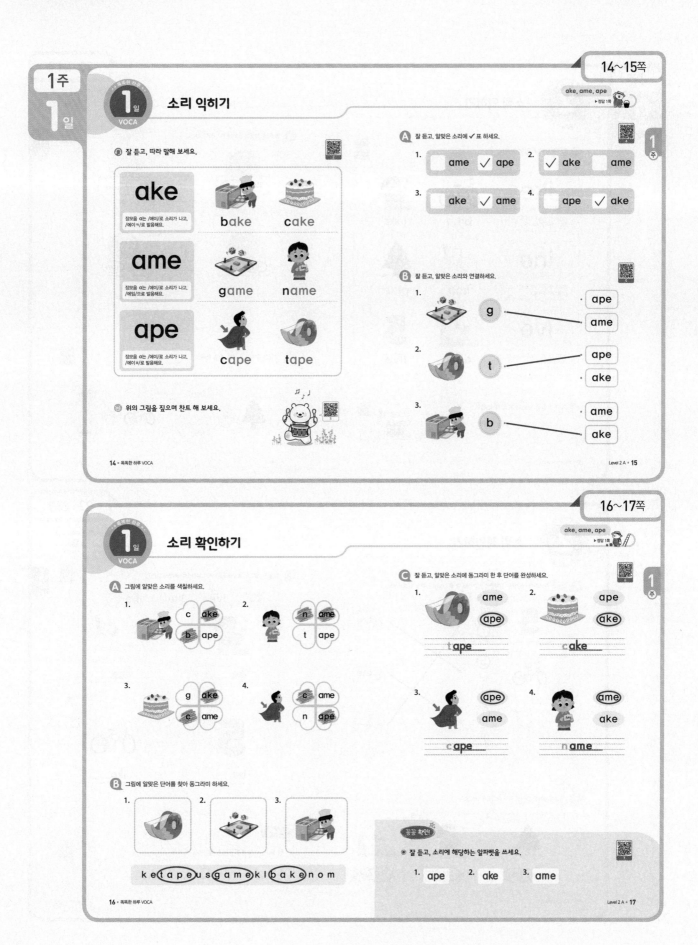

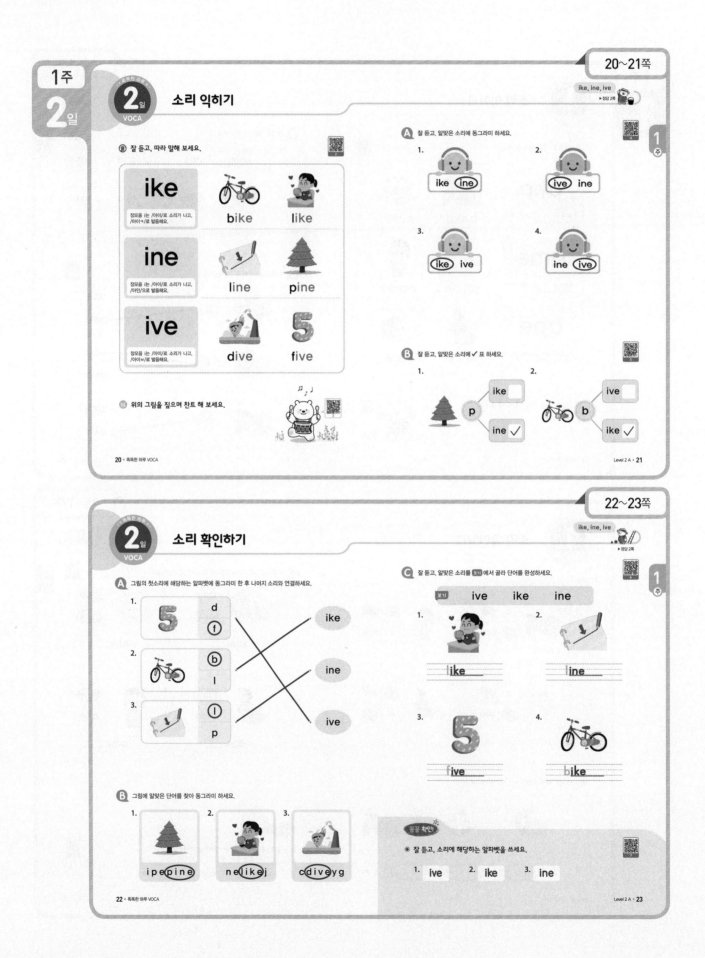

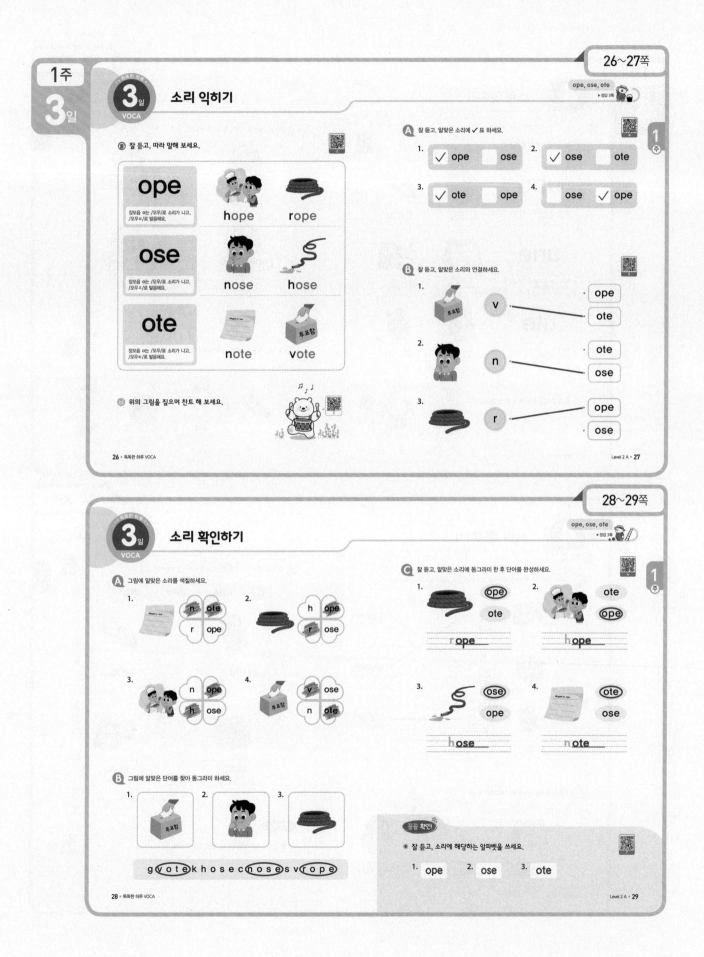

**1주**

**3일** VOCA

## 소리 익히기

ope, ose, ote
▶정답 3쪽

🔊 잘 듣고, 따라 말해 보세요.

**ope**
장모음 o는 /오우/로 소리가 나고,
/오우ㅍ/로 발음해요.
hope    rope

**ose**
장모음 o는 /오우/로 소리가 나고,
/오우ㅈ/로 발음해요.
nose    hose

**ote**
장모음 o는 /오우/로 소리가 나고,
/오우ㅌ/로 발음해요.
note    vote

🎵 위의 그림을 짚으며 찬트 해 보세요.

A 잘 듣고, 알맞은 소리에 ✓ 표 하세요.

1. ✓ ope  ☐ ose   2. ✓ ose  ☐ ote
3. ✓ ote  ☐ ope   4. ☐ ose  ✓ ope

B 잘 듣고, 알맞은 소리와 연결하세요.

1. 투표함 — v · — ope / ote
2. — n · — ote / ose
3. — r · — ope / ose

26 • 똑똑한 하루 VOCA

Level 2 A • 27

---

**3일** VOCA

## 소리 확인하기

ope, ose, ote
▶정답 3쪽

A 그림에 알맞은 소리를 색칠하세요.

1. n note / r ope
2. h ope / r ose
3. n ope / h ose
4. v ose / n ote

B 그림에 알맞은 단어를 찾아 동그라미 하세요.

1. 투표함   2.   3.

g v o t e k h o s e c n o s e s v r o p e

C 잘 듣고, 알맞은 소리에 동그라미 한 후 단어를 완성하세요.

1. ope / ote    r ope
2. ote / ope    h ope
3. ose / ope    h ose
4. ote / ose    n ote

**꼼꼼 확인**

🔊 잘 듣고, 소리에 해당하는 알파벳을 쓰세요.

1. ope   2. ose   3. ote

28 • 똑똑한 하루 VOCA

Level 2 A • 29

정답 • **3**

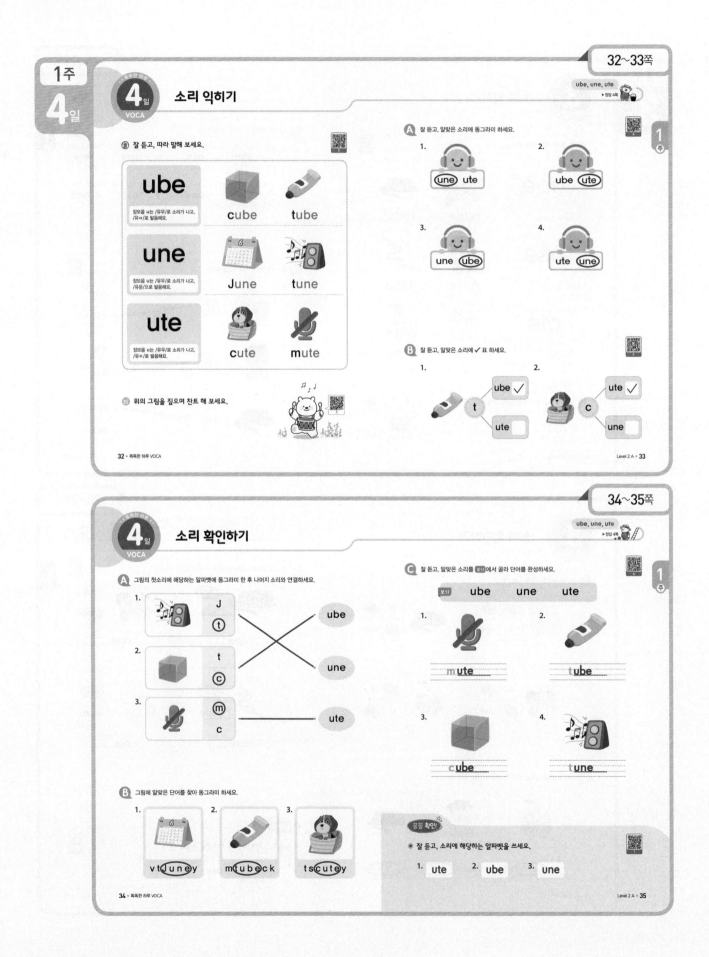

정답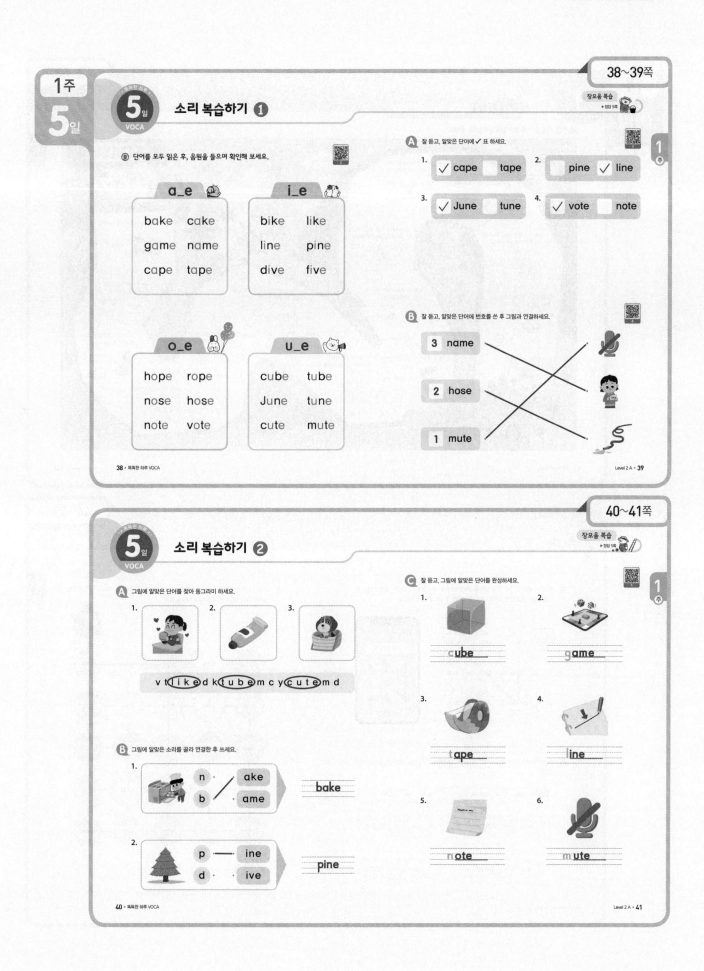

**1주 5일**

38~39쪽

**5일 VOCA 소리 복습하기 ①**

장모음 복습
▶정답 5쪽

단어를 모두 읽은 후, 음원을 들으며 확인해 보세요.

**a_e**
| bake | cake |
| game | name |
| cape | tape |

**i_e**
| bike | like |
| line | pine |
| dive | five |

**o_e**
| hope | rope |
| nose | hose |
| note | vote |

**u_e**
| cube | tube |
| June | tune |
| cute | mute |

A 잘 듣고, 알맞은 단어에 ✓ 표 하세요.

1. ✓ cape / tape
2. pine / ✓ line
3. ✓ June / tune
4. ✓ vote / note

B 잘 듣고, 알맞은 단어를 쓴 후 그림과 연결하세요.

3 name
2 hose
1 mute

38 · 똑똑한 하루 VOCA

Level 2 A · 39

---

40~41쪽

**5일 VOCA 소리 복습하기 ②**

장모음 복습
▶정답 5쪽

A 그림에 알맞은 단어를 찾아 동그라미 하세요.

1. 2. 3.

v t l i k e d k t u b e m c y c u t e m d

(like) (tube) (cute)

B 그림에 알맞은 소리를 골라 연결한 후 쓰세요.

1.
n · ake
b · ame
**bake**

2.
p — ine
d · ive
**pine**

C 잘 듣고, 그림에 알맞은 단어를 완성하세요.

1. c ube
2. g ame
3. t ape
4. l ine
5. n ote
6. m ute

40 · 똑똑한 하루 VOCA

Level 2 A · 41

정답 · **5**

1주 특강 **Brain** Game Zone

정답 6쪽

배운 내용을 떠올리며 말판 놀이를 해 보세요.

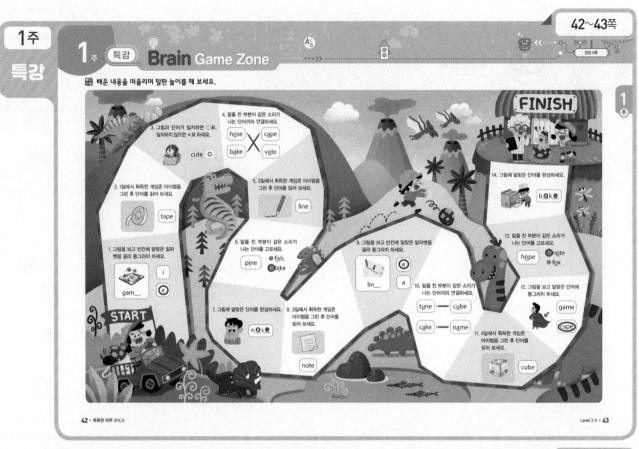

**Brain** Game Zone

정답 6쪽

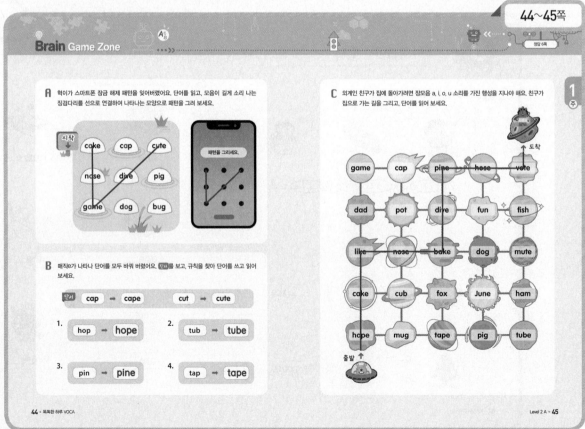

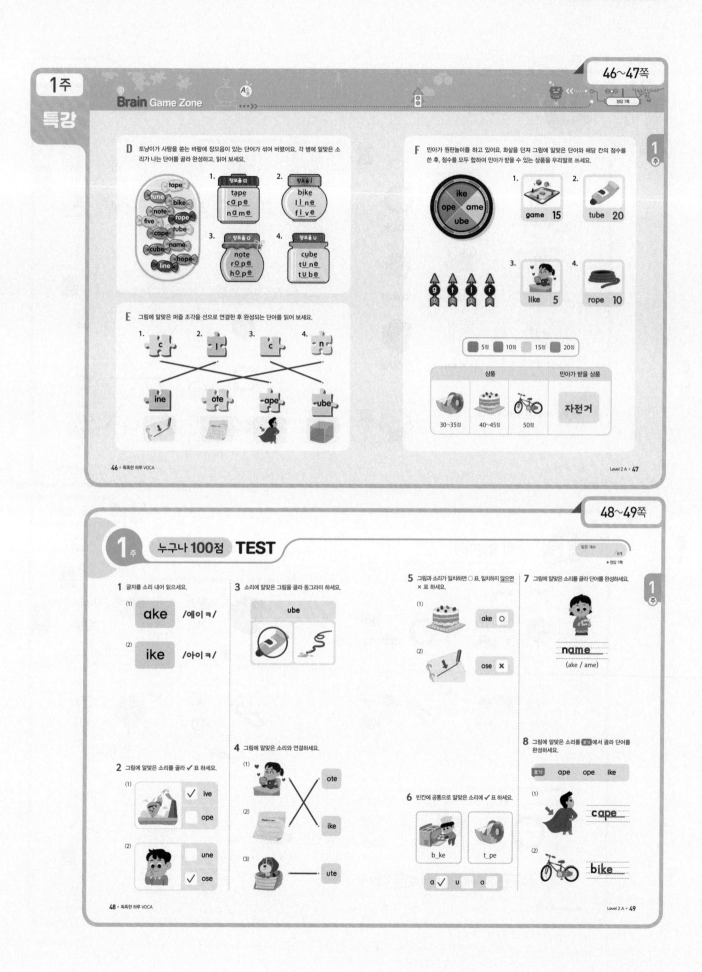

정답

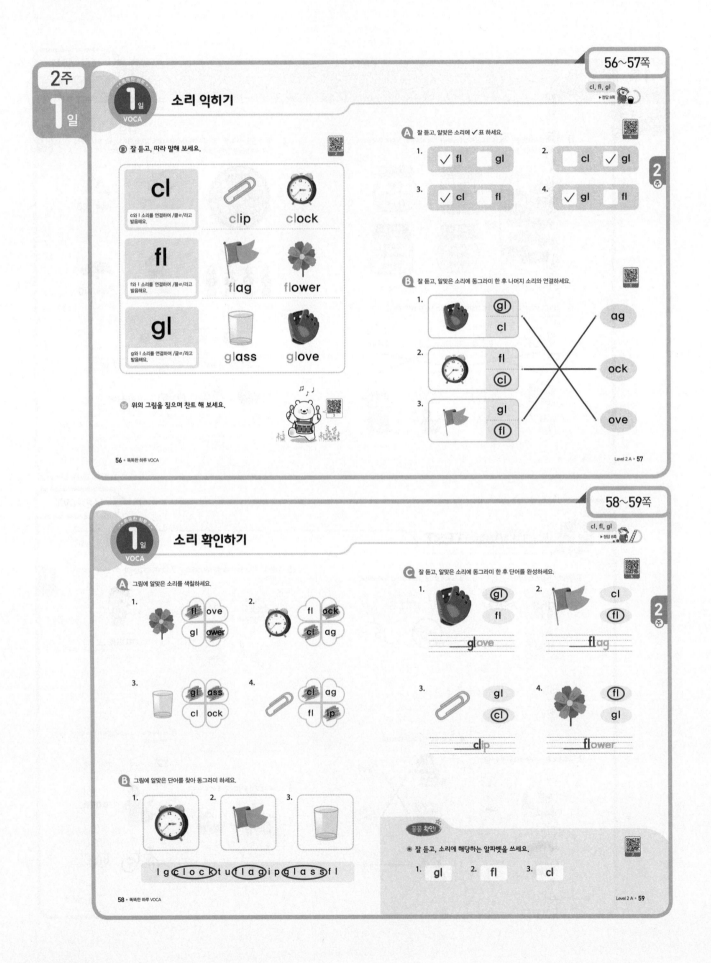

**2주**
**1일**

**1일** VOCA 소리 익히기

56~57쪽

cl, fl, gl
▶정답 8쪽

🔊 잘 듣고, 따라 말해 보세요.

| cl | | |
|---|---|---|
| c와 l 소리를 연결하여 /클ㄹ/라고 발음해요. | clip | clock |
| fl | | |
| f와 l 소리를 연결하여 /플ㄹ/라고 발음해요. | flag | flower |
| gl | | |
| g와 l 소리를 연결하여 /글ㄹ/라고 발음해요. | glass | glove |

😊 위의 그림을 짚으며 찬트 해 보세요.

Ⓐ 잘 듣고, 알맞은 소리에 ✔ 표 하세요.

1. ✓ fl ☐ gl
2. ☐ cl ✓ gl
3. ✓ cl ☐ fl
4. ✓ gl ☐ fl

Ⓑ 잘 듣고, 알맞은 소리에 동그라미 한 후 나머지 소리와 연결하세요.

1. gl / cl
2. fl / cl
3. gl / fl

ag
ock
ove

56 • 똑똑한 하루 VOCA

Level 2 A • 57

---

58~59쪽

**1일** VOCA 소리 확인하기

cl, fl, gl
▶정답 8쪽

Ⓐ 그림에 알맞은 소리를 색칠하세요.

1. fl ove / gl ower
2. fl ock / cl ag
3. gl ass / cl ock
4. cl ag / fl ip

Ⓒ 잘 듣고, 알맞은 소리에 동그라미 한 후 단어를 완성하세요.

1. gl / fl
glove

2. cl / fl
flag

3. gl / cl
clip

4. fl / gl
flower

Ⓑ 그림에 알맞은 단어를 찾아 동그라미 하세요.

1. 2. 3.

l g c l o c k t u f l a g i p g l a s s f l

꼼꼼 확인!
✱ 잘 듣고, 소리에 해당하는 알파벳을 쓰세요.

1. gl   2. fl   3. cl

58 • 똑똑한 하루 VOCA

Level 2 A • 59

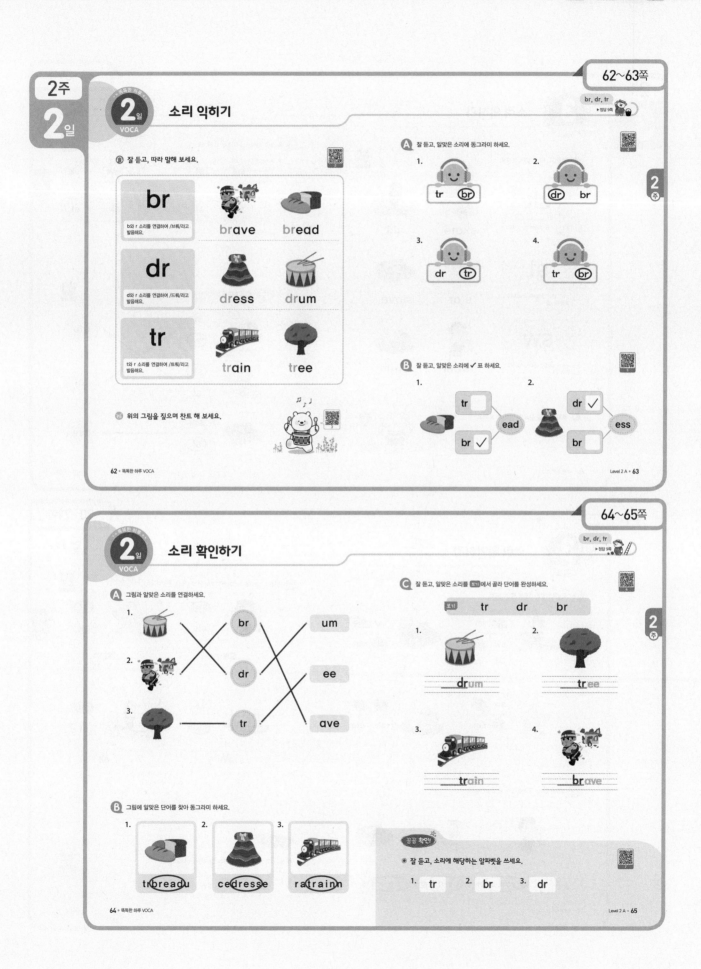

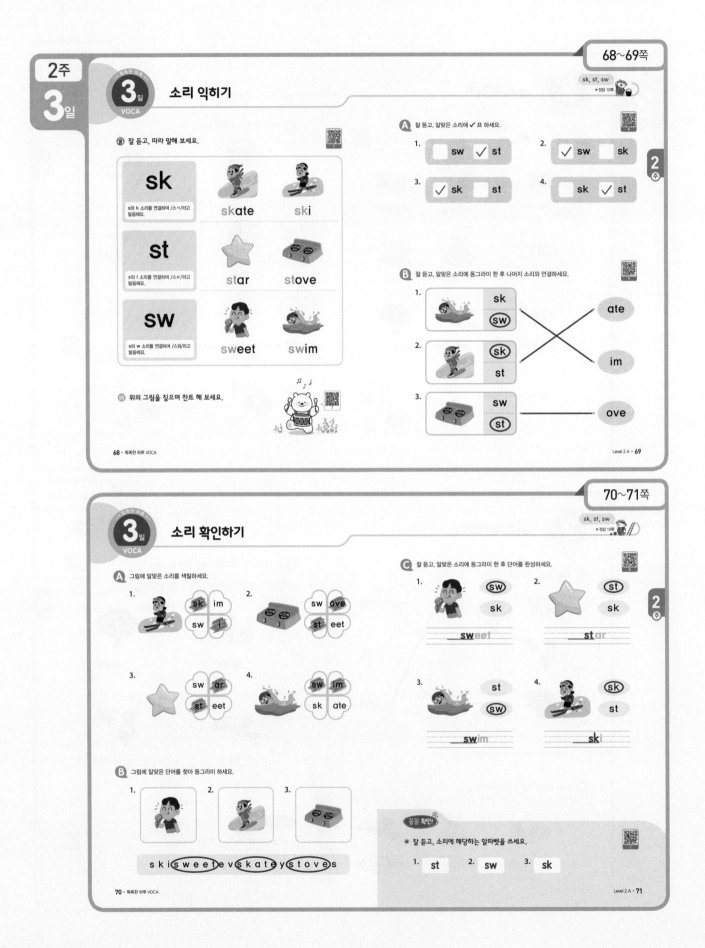

**2주 3일**

**3일 VOCA 소리 익히기**

sk, st, sw
▶정답 10쪽

🎧 잘 듣고, 따라 말해 보세요.

| sk | skate | ski |
s와 k 소리를 연결하여 /스ㅋ/라고 발음해요.

| st | star | stove |
s와 t 소리를 연결하여 /스트/라고 발음해요.

| sw | sweet | swim |
s와 w 소리를 연결하여 /스워/라고 발음해요.

🎵 위의 그림을 짚으며 찬트 해 보세요.

Ⓐ 잘 듣고, 알맞은 소리에 ✔ 표 하세요.

1. ☐ sw ✔ st     2. ✔ sw ☐ sk
3. ✔ sk ☐ st     4. ☐ sk ✔ st

Ⓑ 잘 듣고, 알맞은 소리에 동그라미 한 후 나머지 소리와 연결하세요.

1. sk (sw) ——— ate
2. (sk) st ——— im
3. sw (st) ——— ove

68 • 똑똑한 하루 VOCA

Level 2 A • 69

---

**3일 VOCA 소리 확인하기**

sk, st, sw
▶정답 10쪽

Ⓐ 그림에 알맞은 소리를 색칠하세요.

1. sk / im / sw / i
2. sw / ove / st / eet
3. sw / ar / st / eet
4. sw / im / sk / ate

Ⓑ 그림에 알맞은 단어를 찾아 동그라미 하세요.

1.　2.　3.

s k i (s w e e t) v (s k a t e) y (s t o v e) s

Ⓒ 잘 듣고, 알맞은 소리에 동그라미 한 후 단어를 완성하세요.

1. (sw) sk —— sweet
2. (st) sk —— star
3. st (sw) —— swim
4. (sk) st —— ski

**꼼꼼 확인!**

🎧 잘 듣고, 소리에 해당하는 알파벳을 쓰세요.

1. st　2. sw　3. sk

70 • 똑똑한 하루 VOCA

Level 2 A • 71

**10 •** 정답

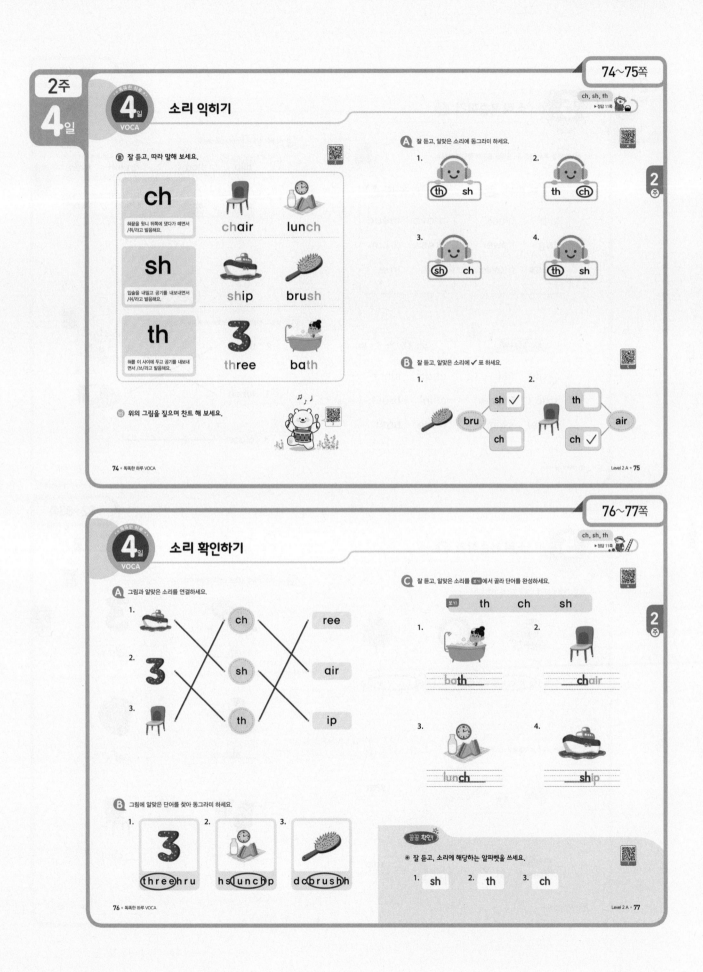

## 74~75쪽

**2주 4일**

### 4일 VOCA 소리 익히기

ch, sh, th
▶정답 11쪽

잘 듣고, 따라 말해 보세요.

**ch**
혀끝을 윗니 위쪽에 댔다가 떼면서 /취/라고 발음해요.
chair  lunch

**sh**
입술을 내밀고 공기를 내보내면서 /쉬/라고 발음해요.
ship  brush

**th**
혀를 이 사이에 두고 공기를 내보내면서 /쓰/라고 발음해요.
three  bath

위의 그림을 짚으며 찬트 해 보세요.

A 잘 듣고, 알맞은 소리에 동그라미 하세요.

1. (th) sh
2. th (ch)
3. (sh) ch
4. (th) sh

B 잘 듣고, 알맞은 소리에 ✔ 표 하세요.

1. bru — sh ✔ / ch
2. th / ch ✔ — air

74 • 똑똑한 하루 VOCA

Level 2 A • 75

## 76~77쪽

### 4일 VOCA 소리 확인하기

ch, sh, th
▶정답 11쪽

A 그림과 알맞은 소리를 연결하세요.

1. ch — ree
2. sh — air
3. th — ip

B 그림에 알맞은 단어를 찾아 동그라미 하세요.

1. (three)hru
2. hs(lunch)p
3. d(brush)h

C 잘 듣고, 알맞은 소리를 보기에서 골라 단어를 완성하세요.

보기: th  ch  sh

1. ba**th**
2. **ch**air
3. lun**ch**
4. **sh**ip

꼼꼼 확인!

잘 듣고, 소리에 해당하는 알파벳을 쓰세요.

1. sh
2. th
3. ch

76 • 똑똑한 하루 VOCA

Level 2 A • 77

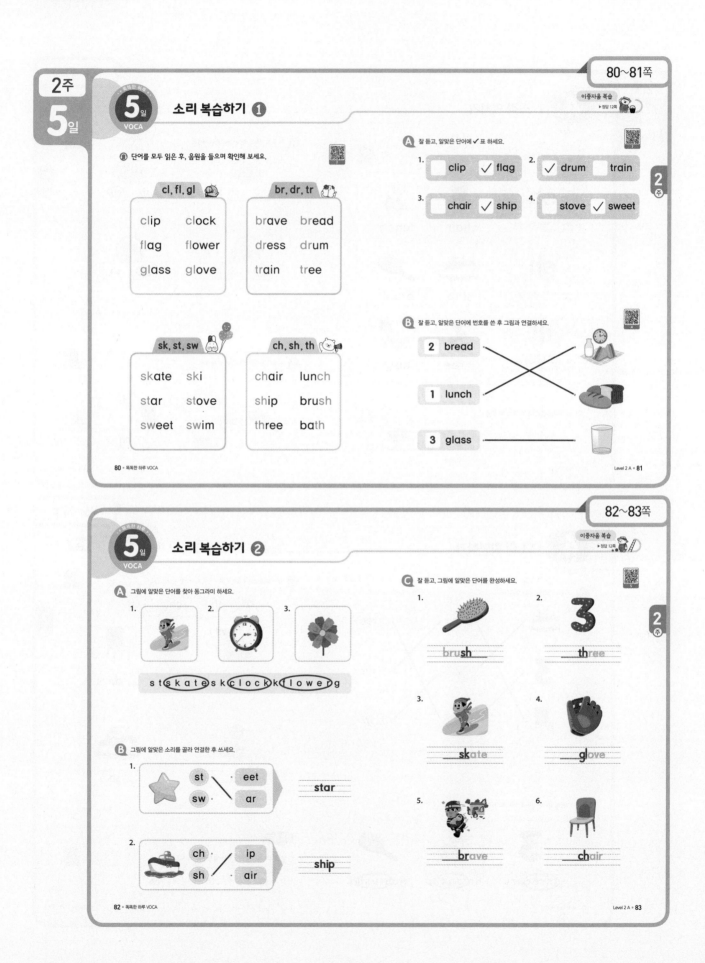

똑똑한 하루 VOCA

2주 5일

**5일 소리 복습하기 ❶**

이중자음 복습
▶정답 12쪽

🎧 단어를 모두 읽은 후, 음원을 들으며 확인해 보세요.

**cl, fl, gl**

| clip | clock |
| flag | flower |
| glass | glove |

**br, dr, tr**

| brave | bread |
| dress | drum |
| train | tree |

**sk, st, sw**

| skate | ski |
| star | stove |
| sweet | swim |

**ch, sh, th**

| chair | lunch |
| ship | brush |
| three | bath |

A 잘 듣고, 알맞은 단어에 ✔ 표 하세요.

1. ☐ clip ✔ flag
2. ✔ drum ☐ train
3. ☐ chair ✔ ship
4. ☐ stove ✔ sweet

B 잘 듣고, 알맞은 단어에 번호를 쓴 후 그림과 연결하세요.

2 bread
1 lunch
3 glass

80 • 똑똑한 하루 VOCA

Level 2 A • 81

**5일 소리 복습하기 ❷**

이중자음 복습
▶정답 12쪽

A 그림에 알맞은 단어를 찾아 동그라미 하세요.

1. 2. 3.

st s (skate) sk c (clock) k (flower) g

B 그림에 알맞은 소리를 골라 연결한 후 쓰세요.

1.
st · · eet
sw · · ar

**star**

2.
ch · · ip
sh · · air

**ship**

C 잘 듣고, 그림에 알맞은 단어를 완성하세요.

1. brush
2. three
3. skate
4. glove
5. brave
6. chair

82 • 똑똑한 하루 VOCA

Level 2 A • 83

## 2주 특강

### 2주 특강 Brain Game Zone

배운 내용을 떠올리며 말판 놀이를 해 보세요.

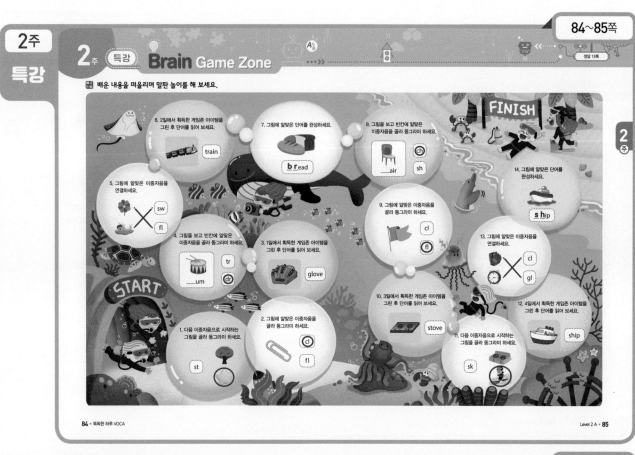

### Brain Game Zone

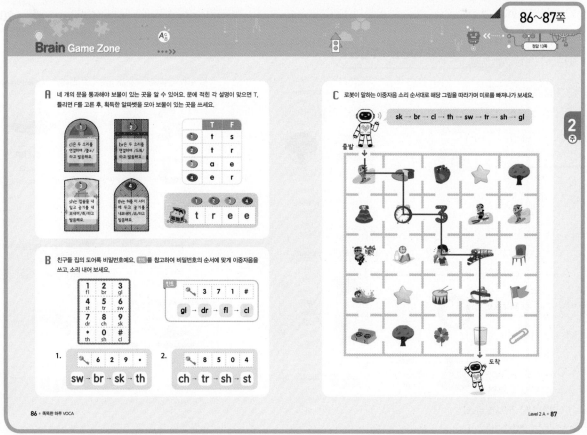

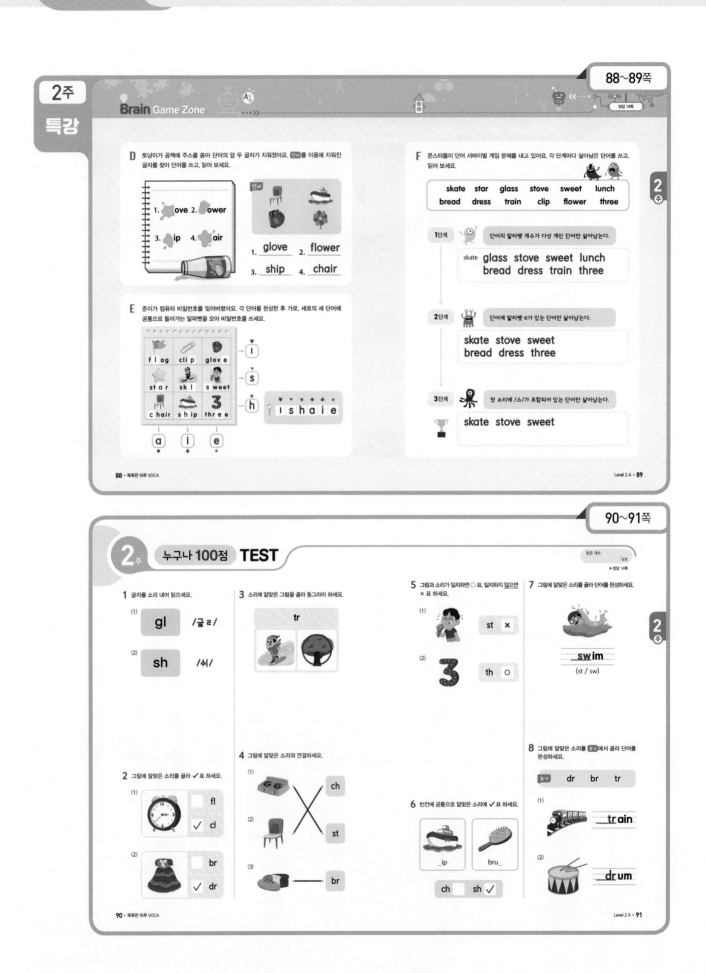

**2주 특강**

**Brain** Game Zone

D 토냥이가 공책에 주스를 쏟아 단어의 앞 두 글자가 지워졌어요. 단서를 이용해 지워진 글자를 찾아 단어를 쓰고, 읽어 보세요.

1. ○○ove  2. ○○ower
3. ○○ip  4. ○○air

단서

1. glove  2. flower
3. ship  4. chair

E 준이가 컴퓨터 비밀번호를 잊어버렸어요. 각 단어를 완성한 후 가로, 세로의 세 단어에 공통으로 들어가는 알파벳을 모아 비밀번호를 쓰세요.

fl a g | cli p | glov e → ♥ l
st a r | sk l | s weet → ▼ s
c hair | s hip | thr ee → ♦ h

♥ ▼ ▼ ♦ ★ ★
i s h a i e

a  i  e
♦  ♣  ★

F 몬스터들이 단어 서바이벌 게임 문제를 내고 있어요. 각 단계마다 살아남은 단어를 쓰고, 읽어 보세요.

| skate | star | glass | stove | sweet | lunch |
| bread | dress | train | clip | flower | three |

1단계 단어의 알파벳 개수가 다섯 개인 단어만 살아남는다.

skate glass stove sweet lunch
bread dress train three

2단계 단어에 알파벳 e가 있는 단어만 살아남는다.

skate stove sweet
bread dress three

3단계 첫 소리에 /스/가 포함되어 있는 단어만 살아남는다.

🏆 skate stove sweet

**2주 누구나 100점 TEST**

맞은 개수 /8개
▶ 정답 14쪽

1 글자를 소리 내어 읽으세요.
(1) gl /글ㄹ/
(2) sh /쉬/

3 소리에 알맞은 그림을 골라 동그라미 하세요.
tr

4 그림에 알맞은 소리와 연결하세요.
(1) — ch
(2) — st
(3) — br

2 그림에 알맞은 소리를 골라 ✔ 표 하세요.
(1) ☐ fl  ✔ cl
(2) ☐ br  ✔ dr

5 그림과 소리가 일치하면 ○표, 일치하지 않으면 ×표 하세요.
(1) st ×
(2) th ○

6 빈칸에 공통으로 알맞은 소리에 ✔ 표 하세요.
_ip  bru_
ch ☐ sh ✔

7 그림에 알맞은 소리를 골라 단어를 완성하세요.
sw im
(st / sw)

8 그림에 알맞은 소리를 보기에서 골라 단어를 완성하세요.
보기 dr  br  tr
(1) tr ain
(2) dr um

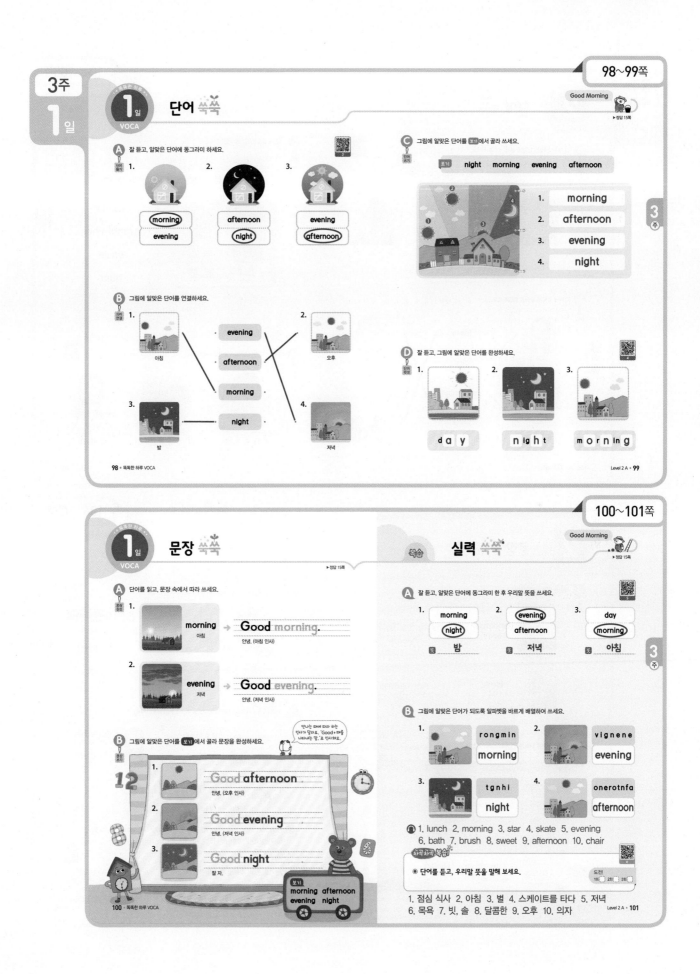

# VOCA
똑똑한 하루

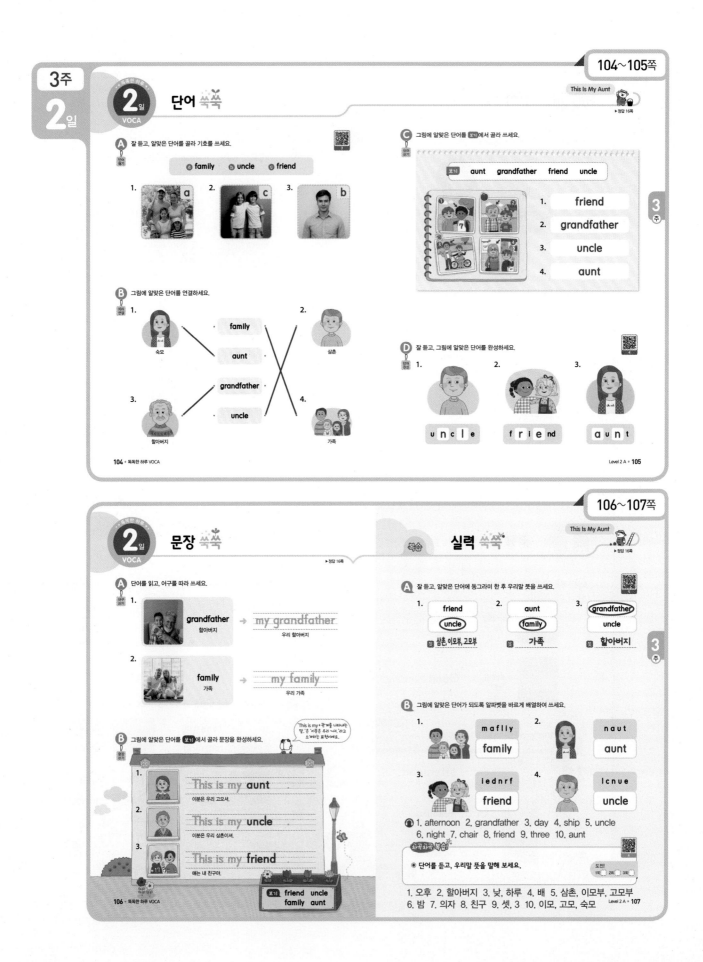

**2일** VOCA 단어 쑥쑥

This Is My Aunt
▶정답 16쪽

A 잘 듣고, 알맞은 단어를 골라 기호를 쓰세요.

ⓐ family ⓑ uncle ⓒ friend

1. a
2. c
3. b

B 그림에 알맞은 단어를 연결하세요.

1. 숙모
family
aunt
2. 삼촌
grandfather
3. 할아버지
uncle
4. 가족

C 그림에 알맞은 단어를 보기에서 골라 쓰세요.

보기 aunt   grandfather   friend   uncle

1. friend
2. grandfather
3. uncle
4. aunt

D 잘 듣고, 그림에 알맞은 단어를 완성하세요.

1. u n c l e
2. f r i e nd
3. a u nt

104 • 똑똑한 하루 VOCA

Level 2 A • 105

**2일** VOCA 문장 쑥쑥

▶정답 16쪽

A 단어를 읽고, 어구를 따라 쓰세요.

1. grandfather 할아버지 → my grandfather 우리 할아버지

2. family 가족 → my family 우리 가족

B 그림에 알맞은 단어를 보기에서 골라 문장을 완성하세요.

This is my + 관계를 나타내는 말. '은'(이)분은 우리 ~이셔.'라고 소개하는 표현이에요.

1. This is my aunt
이분은 우리 고모셔.

2. This is my uncle
이분은 우리 삼촌이셔.

3. This is my friend
애는 내 친구야.

보기 friend  uncle  family  aunt

106 • 똑똑한 하루 VOCA

복습 실력 쑥쑥

This Is My Aunt
▶정답 16쪽

A 잘 듣고, 알맞은 단어에 동그라미 한 후 우리말 뜻을 쓰세요.

1. friend / uncle
뜻 삼촌, 이모부, 고모부

2. aunt / family
뜻 가족

3. grandfather / uncle
뜻 할아버지

B 그림에 알맞은 단어가 되도록 알파벳을 바르게 배열하여 쓰세요.

1. mafily
family
2. naut
aunt
3. iednrf
friend
4. lcnue
uncle

🔊 1. afternoon  2. grandfather  3. day  4. ship  5. uncle
6. night  7. chair  8. friend  9. three  10. aunt

사곡사곡 복습

● 단어를 듣고, 우리말 뜻을 말해 보세요.

도전 1회 2회 3회

1. 오후  2. 할아버지  3. 낮, 하루  4. 배  5. 삼촌, 이모부, 고모부
6. 밤  7. 의자  8. 친구  9. 셋, 3  10. 이모, 고모, 숙모

Level 2 A • 107

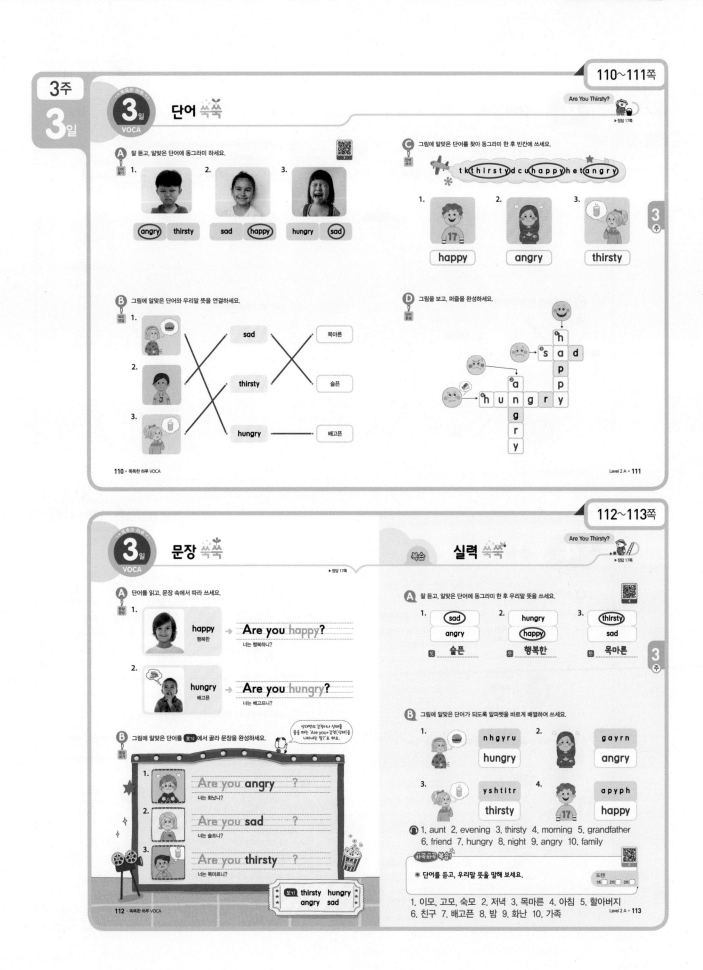

**3주 3일 VOCA** 단어 쑥쑥

Are You Thirsty?
▶정답 17쪽

Ⓐ 잘 듣고, 알맞은 단어에 동그라미 하세요.

1. angry
2. happy
3. sad

Ⓑ 그림에 알맞은 단어와 우리말 뜻을 연결하세요.

1. sad — 목마른
2. thirsty — 슬픈
3. hungry — 배고픈

Ⓒ 그림에 알맞은 단어를 찾아 동그라미 한 후 빈칸에 쓰세요.

tk**thirsty**dcu**happy**het**angry**

1. happy
2. angry
3. thirsty

Ⓓ 그림을 보고, 퍼즐을 완성하세요.

s a d
h a p p y
a n g r y
h u n g r y

110 · 똑똑한 하루 VOCA
Level 2 A · 111

**3일 VOCA** 문장 쑥쑥

Are You Thirsty?
▶정답 17쪽

Ⓐ 단어를 읽고, 문장 속에 따라 쓰세요.

1. happy 행복한 → Are you happy?
너는 행복하니?

2. hungry 배고픈 → Are you hungry?
너는 배고프니?

Ⓑ 그림에 알맞은 단어를 보기 에서 골라 문장을 완성하세요.

상대방의 감정이나 상태를 물을 때는 'Are you+감정(상태)을 나타내는 말?'로 해요.

1. Are you angry?
너는 화났니?

2. Are you sad?
너는 슬프니?

3. Are you thirsty?
너는 목마르니?

보기 thirsty hungry angry sad

112 · 똑똑한 하루 VOCA

복습 실력 쑥쑥

Are You Thirsty?
▶정답 17쪽

Ⓐ 잘 듣고, 알맞은 단어에 동그라미 한 후 우리말 뜻을 쓰세요.

1. sad / angry — 슬픈
2. hungry / happy — 행복한
3. thirsty / sad — 목마른

Ⓑ 그림에 알맞은 단어가 되도록 알파벳을 바르게 배열하여 쓰세요.

1. nhgyru → hungry
2. gayrn → angry
3. yshtitr → thirsty
4. apyph → happy

1. aunt 2. evening 3. thirsty 4. morning 5. grandfather
6. friend 7. hungry 8. night 9. angry 10. family

차곡차곡 복습

● 단어를 듣고, 우리말 뜻을 말해 보세요.

1. 이모, 고모, 숙모 2. 저녁 3. 목마른 4. 아침 5. 할아버지
6. 친구 7. 배고픈 8. 밤 9. 화난 10. 가족

Level 2 A · 113

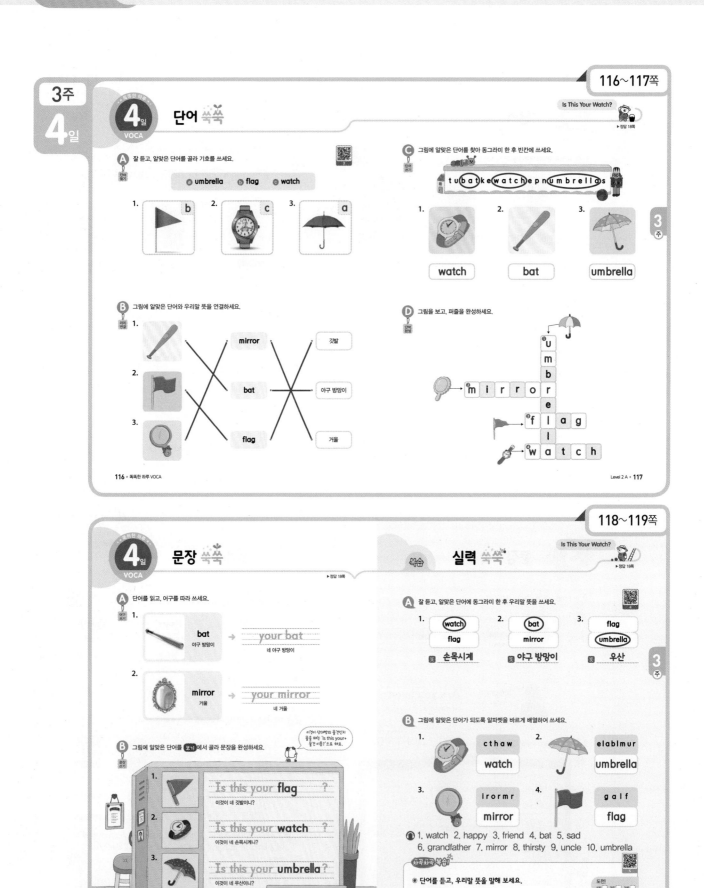

## 3주 5일

### 5일 VOCA 단어 쑥쑥

Do You Want Some Milk?
▶정답 19쪽

**A** 잘 듣고, 알맞은 단어에 동그라미 하세요.

1. (milk) soup
2. fruit (apple pie)
3. ice cream (fruit)

**B** 그림에 알맞은 단어를 연결하세요.

1. 우유 — milk
   apple pie
   ice cream
   fruit
3. 애플파이
2. 과일
4. 아이스크림

**C** 그림에 알맞은 단어를 보기에서 골라 쓰세요.

보기 soup   fruit   apple pie   ice cream

1. ice cream
2. soup
3. fruit
4. apple pie

**D** 잘 듣고, 그림에 알맞은 단어를 완성하세요.

1. f r u i t
2. m i l k
3. s o u p

122 • 똑똑한 하루 VOCA

Level 2 A • 123

### 5일 VOCA 문장 쑥쑥

▶정답 19쪽

**A** 단어를 읽고, 어구를 따라 쓰세요.

1. fruit 과일 → some fruit
   약간의 과일
2. ice cream 아이스크림 → some ice cream
   약간의 아이스크림

**B** 그림에 알맞은 단어를 보기에서 골라 문장을 완성하세요.

'Do you want some+음식 이름?'은 상대방에게 어떤 음식을 먹을 건지 묻는 표현이에요.

1. Do you want some soup ?
   수프 좀 먹을래?
2. Do you want some apple pie ?
   애플파이 좀 먹을래?
3. Do you want some milk ?
   우유 좀 마실래?

보기 milk   apple pie   soup   ice cream

124 • 똑똑한 하루 VOCA

### 복습 실력 쑥쑥

Do You Want Some Milk?
▶정답 19쪽

**A** 잘 듣고, 알맞은 단어에 동그라미 한 후 우리말 뜻을 쓰세요.

1. fruit / (apple pie)   뜻 애플파이
2. (milk) / ice cream    뜻 우유
3. apple pie / (soup)    뜻 수프

**B** 그림에 알맞은 단어가 되도록 알파벳을 바르게 배열하여 쓰세요.

1. i l m k → milk
2. u s o p → soup
3. c i e a m r c e → ice cream
4. u i r t f → fruit

1. mirror  2. angry  3. fruit  4. bat  5. thirsty
6. flag  7. ice cream  8. hungry  9. watch  10. milk

차곡차곡 복습

● 단어를 듣고, 우리말 뜻을 말해 보세요.

1회 □  2회 □  3회 □

1. 거울  2. 화난  3. 과일  4. 야구 방망이  5. 목마른
6. 깃발  7. 아이스크림  8. 배고픈  9. 손목시계  10. 우유

Level 2 A • 125

**3주**
**특강**

3주 특강 **Brain** Game Zone

정답 20쪽

배운 내용을 떠올리며 말판 놀이를 해 보세요.

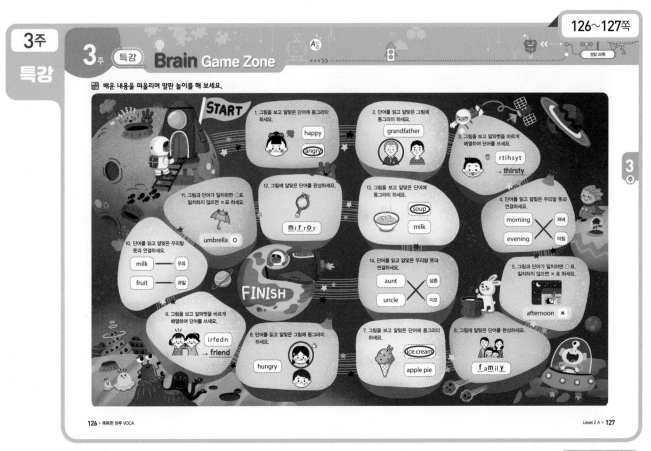

**Brain** Game Zone

정답 20쪽

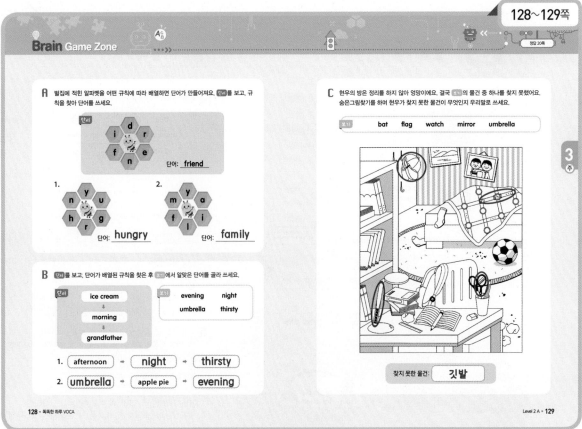

A 벌집에 적힌 알파벳을 어떤 규칙에 따라 배열하면 단어가 만들어져요. 단서를 보고, 규칙을 찾아 단어를 쓰세요.

단서 단어: friend

1. 단어: hungry

2. 단어: family

B 단서를 보고, 단어가 배열된 규칙을 찾은 후 보기에서 알맞은 단어를 골라 쓰세요.

단서 ice cream / morning / grandfather

보기 evening night umbrella thirsty

1. afternoon → night → thirsty

2. umbrella → apple pie → evening

C 현우의 방은 정리를 하지 않아 엉망이에요. 결국 보기의 물건 중 하나를 찾지 못했어요. 숨은그림찾기를 하며 현우가 찾지 못한 물건이 무엇인지 우리말로 쓰세요.

보기 bat flag watch mirror umbrella

찾지 못한 물건: 깃발

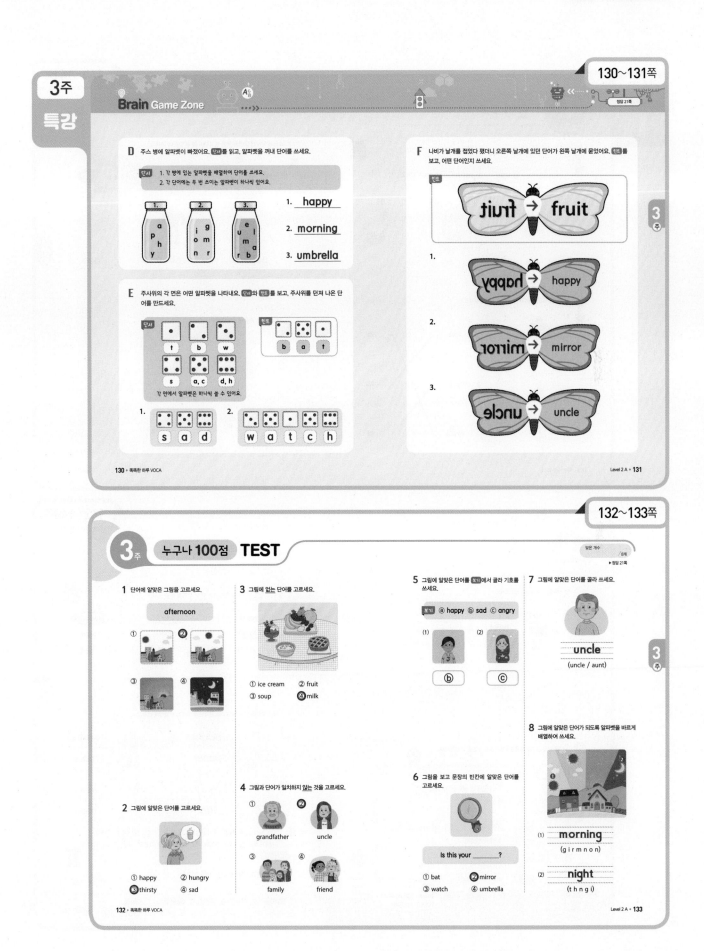

**3주 특강**

**Brain** Game Zone

정답 21쪽

D 주스 병에 알파벳이 빠졌어요. 단서를 읽고, 알파벳을 꺼내 단어를 쓰세요.

단서 1. 각 병에 있는 알파벳을 배열하여 단어를 쓰세요.
2. 각 단어에는 두 번 쓰이는 알파벳이 하나씩 있어요.

1. a p h y
2. i g o m n r
3. e l u m a r b

1. **happy**
2. **morning**
3. **umbrella**

E 주사위의 각 면은 어떤 알파벳을 나타내요. 단서와 힌트를 보고, 주사위를 던져 나온 단어를 만드세요.

단서
t / b / w
s / a, c / d, h

힌트
b a t

각 면에서 알파벳은 하나씩 쓸 수 있어요.

1. s a d
2. w a t c h

F 나비가 날개를 접었다 폈더니 오른쪽 날개에 있던 단어가 왼쪽 날개에 묻어났어요. 힌트를 보고, 어떤 단어인지 쓰세요.

힌트 tiurl → fruit

1. happy → happy
2. mirror → mirror
3. uncle → uncle

**3주 누구나 100점 TEST**

맞은 개수 / 8개
▶ 정답 21쪽

1 단어에 알맞은 그림을 고르세요.

afternoon

① ② ③ ④

2 그림에 알맞은 단어를 고르세요.

① happy ② hungry
❸ thirsty ④ sad

3 그림에 없는 단어를 고르세요.

① ice cream ② fruit
③ soup ❹ milk

4 그림과 단어가 일치하지 않는 것을 고르세요.

① grandfather ② uncle
③ family ④ friend

5 그림에 알맞은 단어를 보기에서 골라 기호를 쓰세요.

보기 ⓐ happy ⓑ sad ⓒ angry

(1) ⓑ (2) ⓒ

6 그림을 보고 문장의 빈칸에 알맞은 단어를 고르세요.

Is this your _____?

① bat ❷ mirror
③ watch ④ umbrella

7 그림에 알맞은 단어를 골라 쓰세요.

**uncle**
(uncle / aunt)

8 그림에 알맞은 단어가 되도록 알파벳을 바르게 배열하여 쓰세요.

(1) **morning**
(girmnon)

(2) **night**
(thngi)

똑똑한 하루
# VOCA

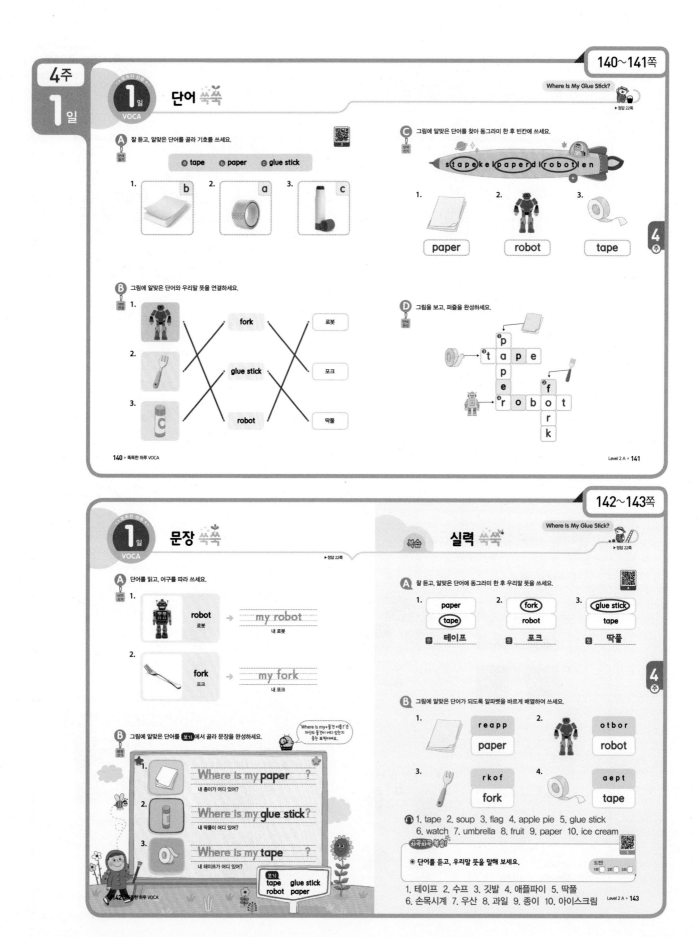

**4주 1일**

## 1일 VOCA 단어 🌱🌱

Where Is My Glue Stick?
▶ 정답 22쪽

Ⓐ 잘 듣고, 알맞은 단어를 골라 기호를 쓰세요.

ⓐ tape  ⓑ paper  ⓒ glue stick

1. b  2. a  3. c

Ⓑ 그림에 알맞은 단어와 우리말 뜻을 연결하세요.

1. fork — 로봇
2. glue stick — 포크
3. robot — 딱풀

Ⓒ 그림에 알맞은 단어를 찾아 동그라미 한 후 빈칸에 쓰세요.

s t a p e k e l p a p e r d i r o b o t l e n

1. paper  2. robot  3. tape

Ⓓ 그림을 보고, 퍼즐을 완성하세요.

```
      p
t a p e
  p
  e     f
  r o b o t
        r
        k
```

140 ㆍ 똑똑한 하루 VOCA          Level 2 A ㆍ 141

## 1일 VOCA 문장 🌱🌱

▶ 정답 22쪽

Ⓐ 단어를 읽고, 어구를 따라 쓰세요.

1. robot 로봇 → my robot 내 로봇
2. fork 포크 → my fork 내 포크

Ⓑ 그림에 알맞은 단어를 보기에서 골라 문장을 완성하세요.

'Where is my+물건 이름?'은 자신의 물건이 어디 있는지 묻는 표현이에요.

1. Where is my paper ? 내 종이가 어디 있어?
2. Where is my glue stick ? 내 딱풀이 어디 있어?
3. Where is my tape ? 내 테이프가 어디 있어?

보기
tape  glue stick
robot  paper

142 ㆍ 똑똑한 하루 VOCA

## 복습 실력 🌱🌱

Where Is My Glue Stick?
▶ 정답 22쪽

Ⓐ 잘 듣고, 알맞은 단어에 동그라미 한 후 우리말 뜻을 쓰세요.

1. paper / (tape)  뜻 테이프
2. (fork) / robot  뜻 포크
3. (glue stick) / tape  뜻 딱풀

Ⓑ 그림에 알맞은 단어가 되도록 알파벳을 바르게 배열하여 쓰세요.

1. reapp → paper
2. otbor → robot
3. rkof → fork
4. aept → tape

🎧 1. tape  2. soup  3. flag  4. apple pie  5. glue stick
6. watch  7. umbrella  8. fruit  9. paper  10. ice cream

차곡차곡 복습

◉ 단어를 듣고, 우리말 뜻을 말해 보세요.

도전 1회 2회 3회

1. 테이프  2. 수프  3. 깃발  4. 애플파이  5. 딱풀
6. 손목시계  7. 우산  8. 과일  9. 종이  10. 아이스크림

Level 2 A ㆍ 143

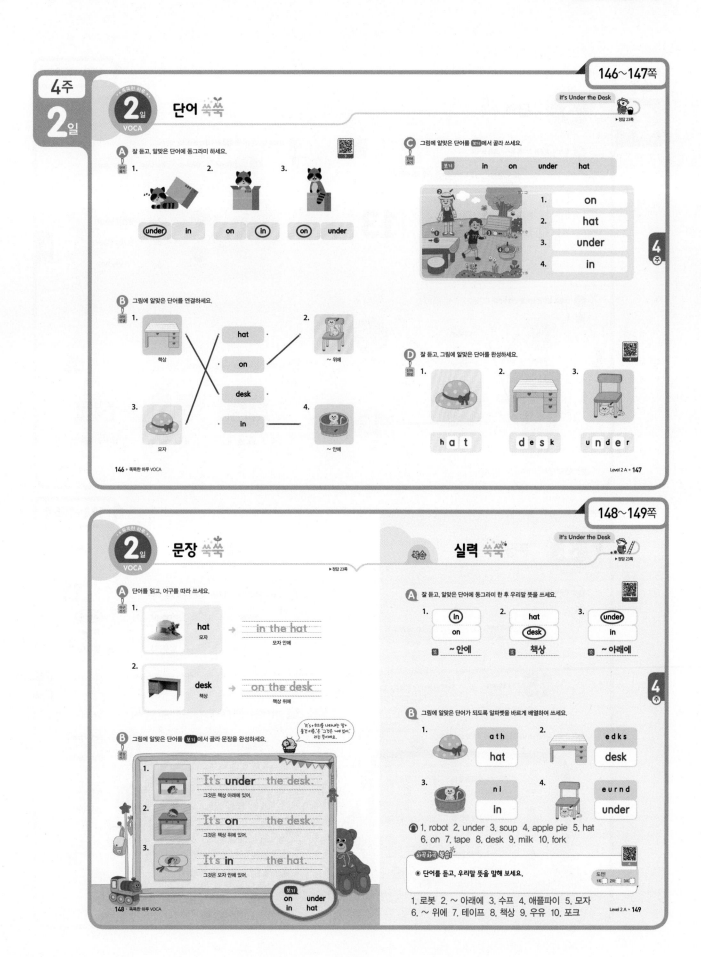

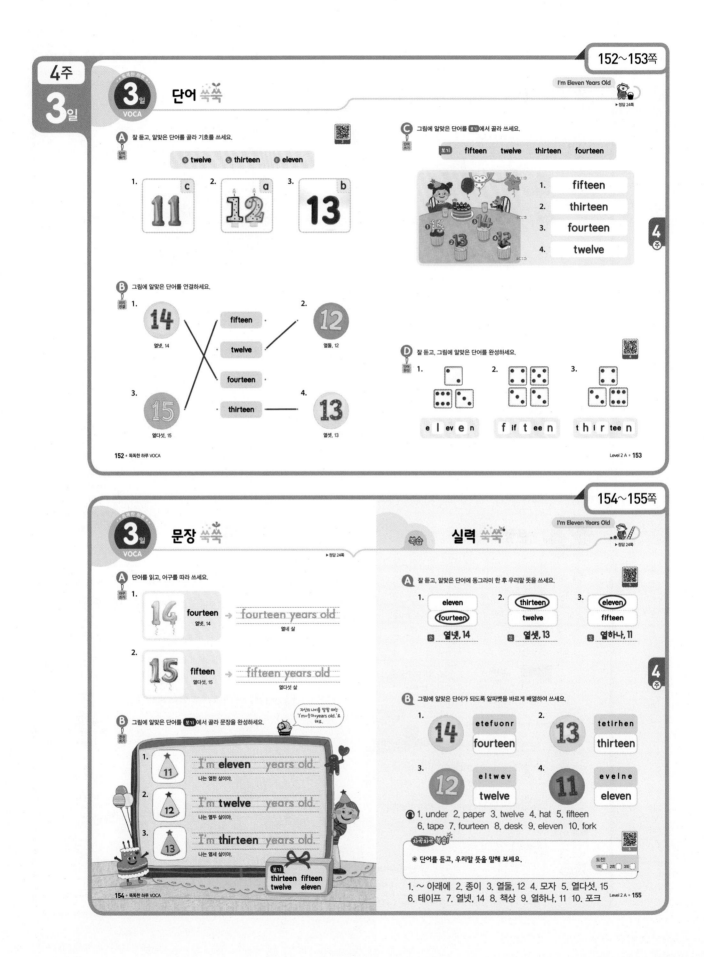

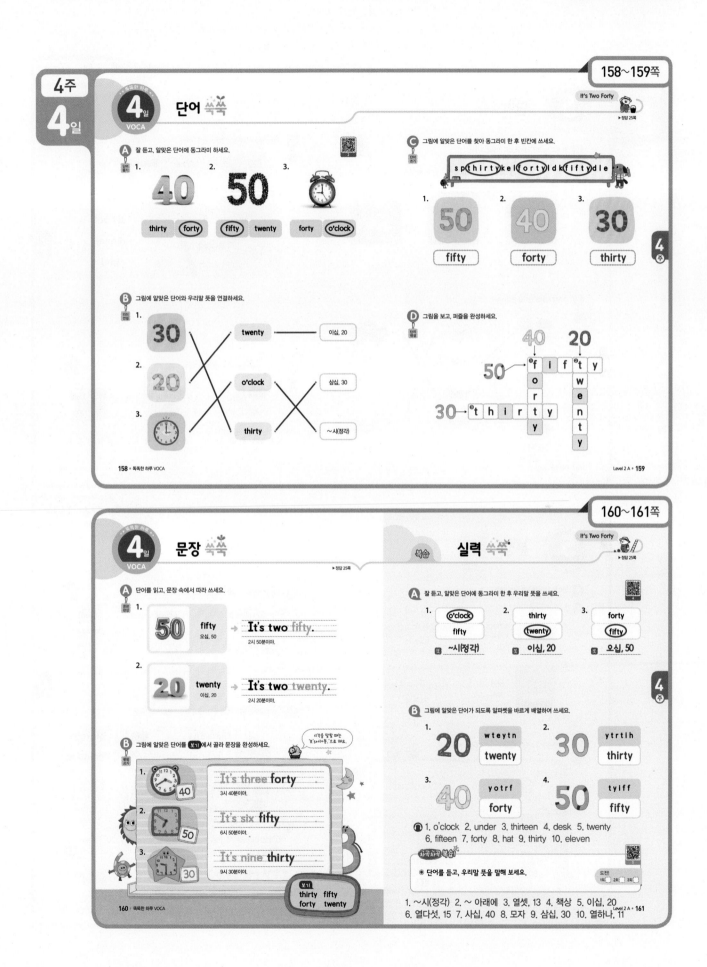

## 4주 4일

### 4일 VOCA 단어 쑥쑥

It's Two Forty

▶정답 25쪽

**A** 잘 듣고, 알맞은 단어에 동그라미 하세요.

1. 40 thirty (forty)
2. 50 (fifty) twenty
3. forty (o'clock)

**B** 그림에 알맞은 단어와 우리말 뜻을 연결하세요.

1. 30 — twenty — 이십, 20
2. 20 — o'clock — 삼십, 30
3. (시계) — thirty — ~시(정각)

(1-twenty는 이십20, 2-thirty 삼십30, 3-o'clock ~시정각 교차 연결)

**C** 그림에 알맞은 단어를 찾아 동그라미 한 후 빈칸에 쓰세요.

sp(thirty)kel(forty)ldk(fifty)dle

1. 50 fifty
2. 40 forty
3. 30 thirty

**D** 그림을 보고, 퍼즐을 완성하세요.

```
      40    20
50→ f i f t y
      o     w
30→ t h i r t y
      y     n
            t
            y
```

158 • 똑똑한 하루 VOCA

Level 2 A • 159

### 4일 VOCA 문장 쑥쑥

▶정답 25쪽

**A** 단어를 읽고, 문장 속에서 따라 쓰세요.

1. 50 fifty 오십, 50 → It's two fifty.
   2시 50분이야.

2. 20 twenty 이십, 20 → It's two twenty.
   2시 20분이야.

**B** 그림에 알맞은 단어를 보기에서 골라 문장을 완성하세요.

시각을 말할 때는 'It's+숫자+분.'으로 해요.

1. (시계 40) It's three forty.
   3시 40분이야.

2. (시계 50) It's six fifty.
   6시 50분이야.

3. (시계 30) It's nine thirty.
   9시 30분이야.

보기
thirty  fifty
forty  twenty

160 • 똑똑한 하루 VOCA

### 복습 실력 쑥쑥

It's Two Forty

▶정답 25쪽

**A** 잘 듣고, 알맞은 단어에 동그라미 한 후 우리말 뜻을 쓰세요.

1. o'clock / fifty → 뜻 ~시(정각)
2. thirty / (twenty) → 뜻 이십, 20
3. forty / (fifty) → 뜻 오십, 50

**B** 그림에 알맞은 단어가 되도록 알파벳을 바르게 배열하여 쓰세요.

1. 20 wteytn twenty
2. 30 ytrtih thirty
3. 40 yotrf forty
4. 50 tylff fifty

1. o'clock 2. under 3. thirteen 4. desk 5. twenty
6. fifteen 7. forty 8. hat 9. thirty 10. eleven

**차곡차곡 복습**

● 단어를 듣고, 우리말 뜻을 말해 보세요.

도전 1회 □ 2회 □ 3회 □

1. ~시(정각) 2. ~ 아래에 3. 열셋, 13 4. 책상 5. 이십, 20
6. 열다섯, 15 7. 사십, 40 8. 모자 9. 삼십, 30 10. 열하나, 11

Level 2 A • 161

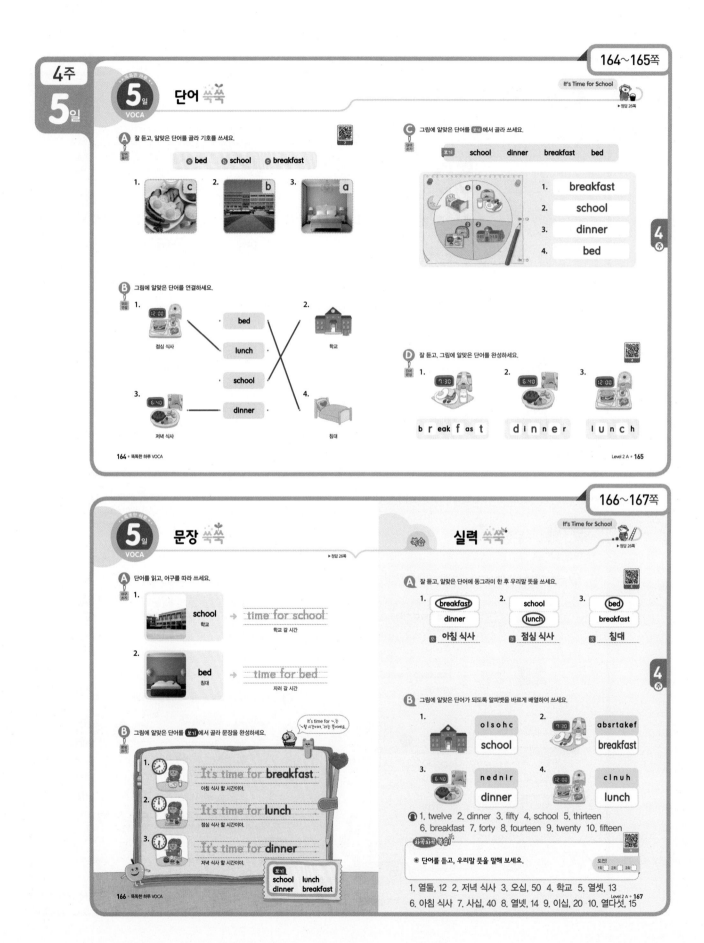

## 4주 특강

### 특강 Brain Game Zone

배운 내용을 떠올리며 말판 놀이를 해보세요.

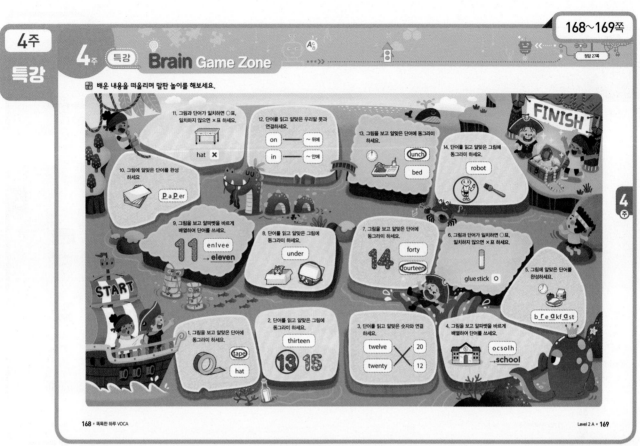

### Brain Game Zone

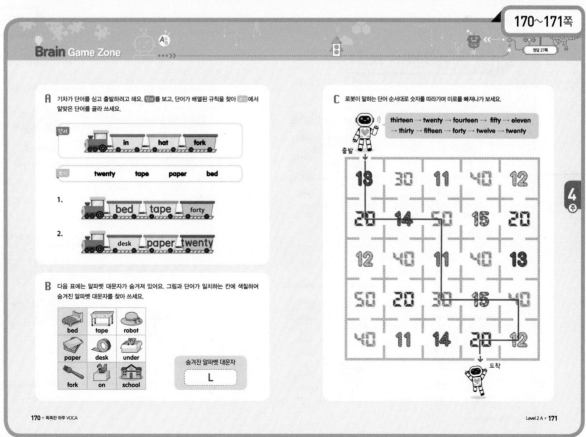

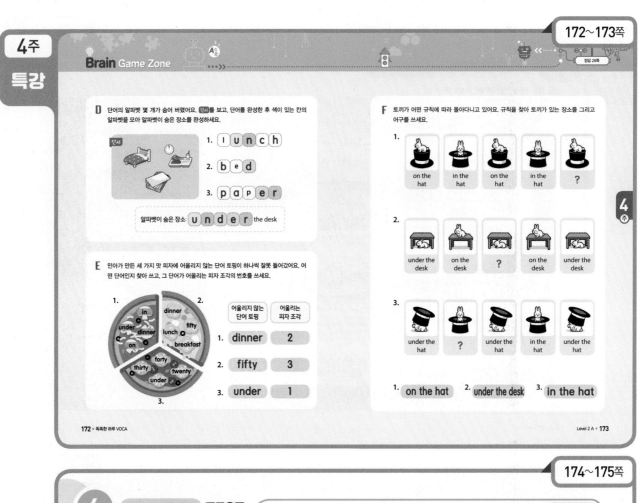

Brain Game Zone

D 단어의 알파벳 몇 개가 숨어 버렸어요. 단서 를 보고, 단어를 완성한 후 색이 있는 칸의 알파벳을 모아 알파벳이 숨은 장소를 완성하세요.

1. l u n c h
2. b e d
3. p a p e r

알파벳이 숨은 장소: u n d e r the desk

E 민아가 만든 세 가지 맛 피자에 어울리지 않는 단어 토핑이 하나씩 잘못 들어갔어요. 어떤 단어인지 찾아 쓰고, 그 단어가 어울리는 피자 조각의 번호를 쓰세요.

| | 어울리지 않는<br>단어 토핑 | 어울리는<br>피자 조각 |
|---|---|---|
| 1. | dinner | 2 |
| 2. | fifty | 3 |
| 3. | under | 1 |

F 토끼가 어떤 규칙에 따라 돌아다니고 있어요. 규칙을 찾아 토끼가 있는 장소를 그리고 어구를 쓰세요.

1. on the hat | in the hat | on the hat | in the hat | ?
2. under the desk | on the desk | ? | on the desk | under the desk
3. under the hat | ? | under the hat | in the hat | under the hat

1. on the hat   2. under the desk   3. in the hat

174~175쪽

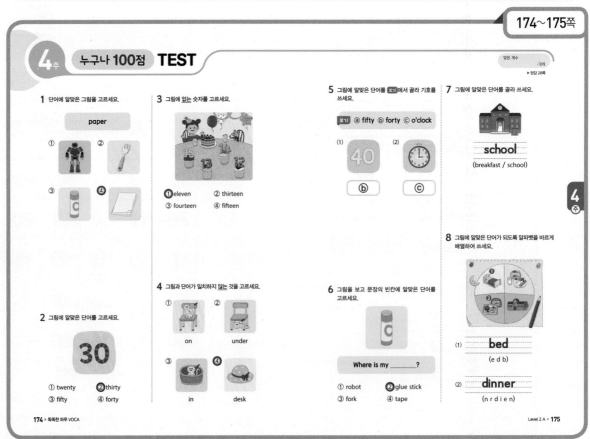

4주 누구나 100점 TEST

맞은 개수 /8개
▶ 정답 28쪽

1 단어에 알맞은 그림을 고르세요.

paper

① ② ③ ④

2 그림에 알맞은 단어를 고르세요.

30

① twenty ② thirty
③ fifty ④ forty

3 그림에 없는 숫자를 고르세요.

① eleven ② thirteen
③ fourteen ④ fifteen

4 그림과 단어가 일치하지 않는 것을 고르세요.

① on ② under
③ in ④ desk

5 그림에 알맞은 단어를 보기 에서 골라 기호를 쓰세요.

보기 ⓐ fifty ⓑ forty ⓒ o'clock

(1) 40 → ⓑ
(2) → ⓒ

6 그림을 보고 문장의 빈칸에 알맞은 단어를 고르세요.

Where is my _____?

① robot ② glue stick
③ fork ④ tape

7 그림에 알맞은 단어를 골라 쓰세요.

school
(breakfast / school)

8 그림에 알맞은 단어가 되도록 알파벳을 바르게 배열하여 쓰세요.

(1) bed
(e d b)

(2) dinner
(n r d i e n)

매일 조금씩 **공부력** UP

# 똑똑한 하루
# 독해&어휘

## 쉽다!

10분이면 하루 치 공부를 마칠 수 있는
커리큘럼으로, 아이들이 쉽고 재미있게
독해&어휘에 접근할 수 있도록 구성

## 재미있다!

교과서는 물론 생활 속에서 쉽게
접할 수 있는 다양한 소재를 활용해
흥미로운 학습 유도

## 똑똑하다!

초등학생에게 꼭 필요한 상식과 함께
창의적 사고력 확장을 돕는
게임 형식의 구성으로 독해력&어휘력 학습

**공부의 핵심은 독해!**
예비초~초6 / 총 6단계, 12권

**독해의 시작은 어휘!**
예비초~초6 / 총 6단계, 6권

정답은
이안에
있어!

하루 독해      하루 어휘      하루 VOCA

하루 수학      하루 계산      하루 도형

| 과목 | 교재 구성 | 과목 | 교재 구성 |
|---|---|---|---|
| 하루 수학 | 1~6학년 1·2학기 12권 | 하루 사고력 | 1~6학년 A·B단계 12권 |
| 하루 VOCA | 3~6학년 A·B단계 8권 | 하루 글쓰기 | 1~6학년 A·B단계 12권 |
| 하루 사회 | 3~6학년 1·2학기 8권 | 하루 한자 | 1~6학년 A·B단계 12권 |
| 하루 과학 | 3~6학년 1·2학기 8권 | 하루 어휘 | 예비초~6학년 1~6단계 6권 |
| 하루 도형 | 1~6단계 6권 | 하루 독해 | 예비초~6학년 A·B단계 12권 |
| 하루 계산 | 1~6학년 A·B단계 12권 | | |

※ 각 교재별 출간 시기는 조금씩 다릅니다.

# 배움으로 행복한 내일을 꿈꾸는
# 천재교육 커뮤니티 안내 . . .

 교재 안내부터 구매까지 한 번에!
## 천재교육 홈페이지

천재교육 홈페이지에서는 자사가 발행하는 참고서,
교과서에 대한 소개는 물론 도서 구매도 할 수 있습니다.
회원에게 지급되는 별을 모아 다양한 상품 응모에도
도전해 보세요.

 구독, 좋아요는 필수! 핵유용 정보 가득한
## 천재교육 유튜브 <천재TV>

신간에 대한 자세한 정보가 궁금하세요?
참고서를 어떻게 활용해야 할지 고민인가요?
공부 외 다양한 고민을 해결해 줄 채널이 필요한가요?
학생들에게 꼭 필요한 콘텐츠로 가득한 천재TV로 놀러 오세요!

 다양한 교육 꿀팁에 깜짝 이벤트는 덤!
## 천재교육 인스타그램

천재교육의 새롭고 중요한 소식을 가장 먼저 접하고 싶다면?
천재교육 인스타그램 팔로우가 필수!
누구보다 빠르고 재미있게 천재교육의 소식을 전달합니다.
깜짝 이벤트도 수시로 진행되니 놓치지 마세요!